逆境力

张海涛◎编著

成都地图出版社

图书在版编目(CIP)数据

逆境力 / 张海涛编著. -- 成都 : 成都地图出版社有限公司, 2019.12(2022.4 重印)
ISBN 978-7-5557-1332-6

Ⅰ. ①逆… Ⅱ. ①张… Ⅲ. ①成功心理－通俗读物
Ⅳ. ①B848.4-49

中国版本图书馆 CIP 数据核字(2019)第 272732 号

逆境力
NIJINGLI

编　　著：张海涛
责任编辑：游世龙
封面设计：松　雪
出版发行：成都地图出版社有限公司
地　　址：成都市龙泉驿区建设路 2 号
邮政编码：610100
电　　话：028-84884648　028-84884826(营销部)
传　　真：028-84884820
印　　刷：三河市泰丰印刷装订有限公司
开　　本：880mm × 1270mm　1/32
印　　张：5
字　　数：118 千字
版　　次：2019 年 12 月第 1 版
印　　次：2022 年 4 月第 3 次印刷
定　　价：36.00 元
书　　号：ISBN 978-7-5557-1332-6

巴尔扎克说："挫折和不幸，是天才的晋身之阶、信徒的洗礼之水、能人的无价之宝、弱者的无底深渊。"每个人一生都难免遇到挫折。能够驾驭挫折的人，必能最大限度地发挥潜能，拥有更强的社会竞争能力。随着社会竞争的日益激烈，每个人都面临着各种压力，这些压力已经对人们的学习和生活造成了深刻的影响。如何坦然应对挫折、超越逆境，已经成为每一个人要面对的重要问题。

佛家认为，"物随心转，境由心生"。一个人有什么样的心态，必然会有什么样的生活现实。逆商决定思想，思想决定行为，行为决定习惯，习惯决定品格，品格决定命运。

贝多芬学拉小提琴时，技术并不高明，他宁可拉自己作的曲子，也不肯做技巧上的改善。他的老师说他绝不是个当作曲家的料。爱因斯坦四岁才会说话，七岁才会认字。老师给他的评语是："反应迟钝，不合群，满脑袋不切实际的幻想。"他曾遭到退学的命运。

这些都是我们熟悉的名人，他们的共同点是：当别人瞧不起自己时，不是以怯懦示人，而是勇敢地面对，积极挑战自己，并终于创造出生命奇迹。

逆境是人生一笔宝贵财富。人类基因图谱的破译表明，在基因的序列上，人与人之间只有万分之一的差异，但伟人与常人的成就却有天壤之别。造成差别的原因在于伟人与常人的价值选择和人生态度不同。伟人不是比常人运气更好，不是更少失败，恰恰相反，他们经历的失败更多，也更惨痛。但所有的伟人更敢于面对失败，挑战挫折，超越逆境。他们都拥有超高的逆境力。

我们每个人都需要拥有逆境力，在困境中保持乐观积极向上的心态，不断挑战困难，以坚定的信念努力下去。这样，我们每个人都可以拥有一个美满的人生。

为了帮助更多人超越逆境，我们编委会精心编著了这本《逆境力》一书。本书采用大量生动的事例和图片，结合简明而实用的理论，展示出众多应对挫折的方法。尽心帮助每个人在面对挫折和人生危机时保持乐观的心境，建立积极的心理暗示，抓住每一个机会迎难而进，做最好的自己，成就卓越的人生。

让本书作为礼物，献给每一个正奔跑在人生路上的人。你才是最棒的那个人，因为你一直在努力。

2019 年 5 月

目录

CONTENTS

01

逆境是上帝赠予你的礼物

02

在逆境中保持微笑

03

建立积极的心理暗示

04

相信自己，把自卑还给上帝

05

机会就在失败的背后

06

抓住每一次逆转命运的绳索

07

不要停下追逐成功的脚步

08

勇于挑战，成就人生梦想

09

信念越坚定，人生越成功

10

走自己的路，让别人说去吧

PART 01

逆境是上帝赠予你的礼物

逆境，是未来人生的本钱

人的一生中会遇到各种各样的逆境。正如一位智者所说的：“没有逆境的人生不是真正的人生。”一个人只有经过困境的磨砺，才能焕发出生命的光彩。沿着岁月的河道，我们回溯到几千年前的印度，无数先哲们在几千年前的雾山上，用瑜伽的朴素方式苦苦修习一种心性和智慧的通透，来印证生命的不凡，让人读懂了苦难的真义。其实，当我们仔细地去品味诸如蚌病生珠、万涓成河、蛹化成蝶的生命故事时，我们的心灵会在刹那间被一种战胜逆境的神奇力量击中。

高耸的大树，其挺拔的身姿是在与狂风暴雨的搏斗中磨砺出来的；精良的斧头，其锋利的斧刃是在铁匠手中经千锤百炼打造出来的。古今中外都存在一个不容忽视的现实：顺境中的人往往“苗而不秀”“秀而不实”。那是因为“温室”里的幼苗禁不起风吹雨打。所以，一帆风顺的人生肯定不是完整的人生，因为缺少了逆境，就缺少了生活的磨炼，也缺少了积累人生无价财富的机会。

俗话说，火石不经摩擦就不会迸发出火花。同样，人若不遭遇逆境，生命之火就不会有火焰的灿烂。因为逆境并不可怕，它可以磨炼人的意志，可以给人信心、毅力和勇气。正如《真心英雄》里唱的那样，“不经历风雨，怎么见彩虹”。是啊，不曾跌倒的人不会知道跌倒的滋味，更不会知道跌倒了该如何爬起来。对于一个人来说，逆境确实是残酷的，但如果你能充分利用逆境这个机会来磨炼自己，逆境会馈赠给你很多东西。要知道，勇气和毅力正是在这一次次的跌倒又爬起来的过程中增长的。

由此看来，经历逆境并不是一件坏事，相反，它是成功的人生所必经的阶段。可以说，逆境是一种财富，是未来人生的本钱。

著名汽车商约翰·艾顿出生在一个非常偏远和闭塞的小镇，父母早逝，他的姐姐靠帮人家洗洗衣服、干干家务获得的微薄收入将他抚育成人。可是自从姐姐出嫁后，姐夫将他撵到了舅舅家，苛刻的舅妈规定正在读书的约翰·艾顿每天只能吃一顿饭，还得收拾马厩、剪草坪。

后来，约翰·艾顿有了工作，但他依然租不起房子，有一年多的时间都是在郊外一处废旧的仓库里睡觉……

但是，正因为这样的苦难，锻炼了约翰·艾顿的品质，在苦难中他学会了坚韧，获得了毅力，终于凭借自己的努力走上了成功之路。

可见，逆境，在这些不屈的人面前，会化为一种礼物，一种人格上的成熟与伟岸，一种意志上的顽强和坚韧，一种对人生和生活的深刻认识。

逆境本是生命旅途中一道不可不观的风景。逆境是竖立在现实和未来之间的一扇纸糊的门，只要你敢于捅破它，前方便一路坦途。逆境是蹲在成功门前的看门犬，怯弱的人逃得越急，它便追得越紧：逆境是火焰熊熊的炼狱，灵魂在逆境中涅槃，就会显露出金子般的成色……四季轮回，既然有春天的葱茏，也就有秋天的落叶，既然有夏天的繁盛，也就有冬天的飘零。我们没有理由不接受逆境，没有理由不善待逆境。

◇ 逆境是上帝赐予你的礼物 ◇

梅花香自苦寒来

逆境是学校，厄运是老师。逆境能激发人的斗志，释放潜藏的能量，演变成奋进的力量。

◀ 司马迁遭受宫刑后忍辱负重，含冤蒙垢数十载，写出流芳千古的《史记》。

荷兰后印象派画家梵高一生非常不顺利。但他坚持绘画创作，在生命后十年创作了2000多幅画，深深影响着二十世纪绘画艺术。▶

逆境是未来人生的本钱

人的一生会遇到各种各样的逆境，只有经过困境磨砺，才能焕发出生命的光彩。

◀ 爱迪生试验了7000多次，经历无数次失败，才终于发明出了电灯。

超越逆境，才能成就人生高度

逆境是一种持久的动力，用坚定的信念坚持下去，终能实现人生梦想。

梅花香自苦寒来

人生路上，有顺境，也有逆境。对某些人来说，逆境是学校，厄运是老师。逆境能激发一个人的斗志，把他蕴藏的潜力尽情地释放，把逆境演变成他奋发进取的力量。“自古英雄多磨难，从来纨绔少伟男”，说的就是这个道理。

但厄运并非总是财富，正如巴尔扎克所说：“世界上的事情永远没有绝对的，结果完全因人而异。苦难对于天才是一块垫脚石，对于能干的人是一笔财富，对弱者是一个万丈深渊。”

的确，你无法改变昨天的事实，但你今天的人生态度决定了你明天的人生轨迹。

一个渔村里有一位老人，老了，经不住海里的风打浪颠，就守候着海滩，窝在泥屋子里熬鹰。等鹰熬足了月，他就能获取钱财了。他住在海边一座新搭的泥屋子里。泥屋的苇席顶上，立着一灰一白两只雏鹰。疲惫无奈的日子孕育着老人的希望。灰鹰和白鹰在屋顶待腻了，就钻进泥屋里来。老人左手托灰鹰，右手托白鹰，说不清到底最喜欢哪一个。

熬鹰的时候，老人很狠心，对两只鹰没有一点感情。他想将它们熬成鱼鹰。他用两根布条分别把两只鹰的脖子扎起来，饿得鹰嗷嗷叫了，他就端出一只盛满鲜鱼的盘子。鹰们扑过去，吞了鱼，喉咙处便鼓出一个疙瘩。鹰叼了鱼吞不进肚里又舍不得吐出来，憋得咕咕惨叫。老人脸上毫无表情。他先用一只手攥了鹰的脖子拎起来，另一只大手捏紧鹰的双腿，头朝下，一抖，再把攥了鹰的脖子的那只手腾出来，狠拍鹰的后背。鹰的嘴里不舍地吐出鱼来。

就这样反反复复熬下去。

海边天气说变就变。海狂到了谁也想不到的地步，老人住的泥屋被风摇塌了，等老人明白过来已被重重地压在废墟里。灰鹰和白鹰抖落一身的厚土，钻出来，嘎嘎叫着。灰鹰如得到了大赦似的钻进夜空里。白鹰没去追灰鹰，而是围着废墟转圈，悲哀地叫着。

老人被压在废墟里，喉咙里塞满了泥，喊不出话来，只拿身子一拱一拱。聪明的白鹰瞧见老人的动静，便俯冲下来，立在破席片上，忽闪着双翅，刮动着浮土。不久后，老人便看到铜钱大的光亮。他凭白鹰翅膀刮拉出来的小洞呼吸活了下来。后来又是白鹰引来村人救出了老人。老人看着白鹰，泪流满面。

大半天后，灰鹰疲沓沓地飞回来了。老人重搭泥屋，继续熬鹰。但看见白鹰饿得咕咕叫的样子，老人开始心疼了。他开始给白鹰手下留情，关键时解开白鹰脖子上的红布带子，小鱼就滑进白鹰肚里去了。对于灰鹰，老人没气没恼，依然用原来的熬法，但到了关口却比先前还狠。一次，他给灰鹰脖子上的绳子扎松了，小鱼缓缓在灰鹰脖子里下滑，他发现了，便狠狠拽起鱼鹰，一只手顺着灰鹰脖子往下撸，一直撸出鱼才停手，灰鹰惨叫着。白鹰瞅着，吓得不住地颤抖。

半年后鹰熬成了。熬鹰千日，用鹰一时。老人神气地划着一条旧船出征了。白鹰孤傲地跳到最高的船木上，灰鹰有些恼，也跟着跳上去，被白鹰挤了下去。不仅如此，白鹰还用嘴啄灰鹰的脑袋。灰鹰反抗却被老人打了一顿。可是，到了真正逮鱼的时候，白鹰就蔫了。灰鹰真行，按照主人的呼哨儿扎进水里，不断叼上鱼来，喜得老人笑开了花。可白鹰半晌也逮不上鱼，只是围着老人抓挠。老人很烦地骂了一句，挥手将它扫一边去了。白鹰气得咕咕叫，很羞愧。灰鹰开始嘲弄白鹰。老人慢慢地就对白鹰态度冷淡了。白鹰逮不上鱼，生存靠灰鹰，于是灰鹰在主人面前取代了白鹰的地位。

后来，白鹰受不住了，在老人脸色难看时飞离了泥屋。老人不明白白鹰为何出走，从黄昏到黑夜，他都带着灰鹰找白鹰，招回的口哨声在野洼里起起伏伏，可是仍没找到白鹰。老人胸膛里像塞了块东西堵得慌，他知道白鹰不会打野食儿。

一日傍晚，老人在村里一片苇帐子里找到了白鹰。

白鹰死了，是饿死的，身上的羽毛几乎掉光了，肚里被黑黑的蚂蚁掏空了。老人的手抖抖地抚摸着白鹰的骨架，默默地落下了老泪。

此时，灰鹰正雄壮地飞在空中。

不经一番寒彻骨，哪得梅花扑鼻香。要想成为一个有作为的人，就要有吃苦的准备。人总是在挫折中学习，在苦难中成长的！让我们记住：雄鹰的展翅高飞，是离不开以前的跌跌撞撞的！

上帝有一天心血来潮，来到他所创造的土地上散步，看到农田里的麦子结实累累，感到非常开心。上帝本来以为他并不会被认出来，因为这个世界上的人已经很久很久没有见过上帝了。想不到的是，一个在麦田里的农夫轻易地就认出他来。农夫趋前向上帝请安，说："仁慈的上帝呀！您终于来了。这五十年来，我没有一天停止祈祷，企盼着您的降临，您终于来了！"

上帝说："五十年来，你都在祈祷，到底是在祈求什么呢？"

"我总是在祈求风调雨顺，祈祷今年不要有大风雨，不要下雪，不要地震，不要干旱，不要有冰雹，不要有虫害。可是不论我怎么祈祷，却总是不能如愿。"农夫说。

上帝回答："我创造世界，也创造了风雨，创造了干旱，创造了蝗虫与鸟雀，我创造的是不能如人所愿的世界。”

农夫跪下来，吻上帝的脚乞求道：“全能的主呀！可不可以在明年允诺我的请求，只要一年的时间，不要风，不要雨，不要烈日与灾害，别人的田我不管，能不能给我一年的时间？”

上帝说：“好吧！明年如你所愿。”

第二年，农夫的田地里果然结出许多麦穗，由于没有任何狂风暴雨、烈日与灾害，麦穗比平常多了一倍，农夫兴奋不已，欢喜地等待丰收的那一天。

到了收成的时刻，奇怪的事情发生了，农夫的麦穗里竟然没有结出一粒麦子。

农夫找到了上帝，问道：“仁慈的上帝，这是怎么一回事，是不是搞错了？”

上帝说：“我没有搞错任何事情，一旦避开了所有的考验，麦子就变得无能了。对于一粒麦子，努力奋斗是不可避免的，风雨是必要的，烈日是必要的，蝗虫是必要的，它们可以唤醒麦子内在的灵魂；人的灵魂也和麦子的灵魂相同，如果没有任何考验，人也只是一个空壳罢了。”

一粒麦子，尚离不开风雨、干旱、烈日、虫灾等挫折的考验，对于一个人，更是如此。

有人说过，人的脸型就是一个“苦”字，天生就该受尽各种苦难。此言不谬。想，人之一生，在自己的哭声中临世，在亲人的哭声中辞世，中间百十年的生涯，无时无刻不在与艰难、困苦、疾病、灾祸打交道。

假如人生没有磨难，其本身就是一种灾难。长期生活在一顺百顺、无忧无虑的环境中，淘汰不了劣者，筛选不出强者，人类就不会进化，社会也不会向前发展。而我们每个人认真审视自己的内心，总会发现，点燃自己灵魂之光的，往往是一些当时被认为磨难和困苦的境遇或事件。一个完美的人生，真的需要历练。

所以，从某种意义上不得不说："苦难"是上帝赐给人类最好的礼物！

丘吉尔在自传中这样写道："苦难是财富还是屈辱？当你战胜了苦难时，它就是你的财富；可当苦难战胜了你时，它就是你的屈辱。"

超越逆境，
人生没有迈不过去的坎儿

苦难是每个人生命中必须经历的事情，敢不敢于挑战苦难也是必须面对的问题。一些人由于缺少挑战苦难的信心，而导致对生命的放弃，许多自杀者几乎无一例外。因此，人生一世要想超越苦难，就必须具有强大的信念，就要相信生活中没有迈不过去的坎，这种信念会使人们一辈子受用不尽。

班纳德是一位德国老人，在风风雨雨的人生中他共遭受了150多次磨难的洗礼，这个世界上最倒霉的人同时也成了世界上最坚强的人。

在他出生13个月时，便摔伤了后背，而后又跌断了一只脚，再后来爬树时伤了四肢；一次骑车时，忽地一阵大风，把他吹了个人仰车翻，膝盖受了重伤；14岁时掉进了垃圾堆差点窒息；一次，一辆汽车失控，把他的头撞了一个大洞，血如泉涌；还有一次他在理发店中坐着，突然一辆飞驰的汽车驶了进来……

在最为倒霉的一年中，他竟遇到了17次意外事故。

但是更令人惊奇的是，老人依旧健康地活着，而且心中充满了自信。的确，在历经了150多次生命中磨难的洗礼后，还有什么可怕的呢？因为生活中没有迈不过去的坎，愈挫愈奋才会愈坚强，愈难愈弃只会愈悲绝。生活的磨难可以磨炼我们的意志，也可以让我们更坚强，如果能够顽强地面对坎坷，笑对人生，那么还有什么能够阻挡我们达到自己的目标呢？

看到了班纳德的达观与顽强、快乐与幸福，有谁还会抱怨命运不公，有谁还会怨天尤人呢？大自然让人们在奋斗的过程中不断成长、壮大与进步，这个过程是痛苦的经验或是深刻的体验，要视一个人的态度而定。森林中最能争夺养分的树木才能成为参天大树，久经风雨才能成为栋梁之材。在乡村，我们常常能够看到那些木材商们，在砍伐了树木后，总是将它放在露天的空地上任凭风吹雨打。因为它们受过磨难而不腐朽，就会有足够的力量抗拒最沉重的负担。

具有强大信念的人，是生活中的幸运者，因为他们从小养成了良好自信的心理。这种心理让他们充分相信自己，能够承受各种考验、挫折和失败。敢于争取最后的胜利，这种信念，使他们一辈子受用不尽。

抓住机会，用逆境磨炼自己

人生不会是一帆风顺的，任何人都会遇到逆境。从某种意义上说，经历逆境是人生的不幸，但同时，如果你能够正视现实，从逆境中发现积极的意义，充分利用机会磨炼自己，你的人生将会得到不同寻常的提升。

我们可以看看下面这则故事：

由于经济破产和从小落下的残疾，人生对格尔来说已索然无味。

在一个晴朗的日子里，格尔找到了牧师。牧师现在已疾病缠身，去年脑出血彻底摧残了他的健康，并遗留下右侧偏瘫和失语等症，医生断言他再也不能说话了。然而仅在病后几周，他就重新练习讲话和行走，并最终和正常人一样讲话和行走。

牧师耐心听完了格尔的倾诉，说："是的，不幸的经历使你心灵充满创伤，你现在生活的主要内容就是叹息，并想从叹息中寻找安慰。”他闪烁的目光始终燃烧着格尔，“有些人不善于抛开痛苦，他们让痛苦缠绕一生直至幻灭。但有些人能利用悲哀的情感获得生命悲壮的感受，从而对生活恢复信心。”

“让我给你看样东西。”他向窗外指去。那边矗立着一排高大的枫树，在枫树间悬吊着一些陈旧的粗绳索。他说：“60年前，这儿的庄园主种下这些树护卫牧场，他在树间牵拉了许多粗绳索。对于幼树嫩弱的生命来说，这太残酷了，这创伤无疑是终身的。有些树面对残忍现实，能与命运抗争，而有一些树消极地诅咒命运，结果就完全不同了。”

“关于这些树，我想过许多。”他说，“只有体内强大的生命力才可能战胜像绳索带来的那样终身的创伤，而不是自己毁掉这宝贵的生命。”沉思了一会儿后，他又说：“对于人，有很多解忧的方法。在痛苦的时候，找个朋友倾诉，找些活干。对待不幸，要有一个清醒而客观的全面认识，尽量抛掉那些怨恨情感负担。有一点也许是最重要的，也是最困难的：你应尽一切努力愉悦自己，真正地爱自己，并抓住机会磨炼自己。”

在遇到挫折困苦时，尽一切努力愉悦自己，真正地爱自己。我们的生命就会更丰盈，精神会更饱满，我们就可能会拥有一个辉煌壮美的人生。

经历逆境，生命才能散发芬芳

一位大学者说过："逆境是一所学校，真理在里面总是变得强有力。"

一位屡屡失意的年轻人不远万里来到一座名刹，慕名寻到老僧慧圆，沮丧地对他说："人生总不如意，活着也是苟且，有什么意思呢？"

慧圆静静地听着年轻人的叹息和絮叨，最后吩咐小和尚说："施主远道而来，烧一壶温水送过来。"

少顷，小和尚送来了一壶温水，慧圆抓了茶叶放进杯子里，然后用温水沏了，放在茶几上，微笑着请年轻人喝茶。杯子冒出微微的水汽，茶叶静静地浮着。年轻人困惑地询问："宝刹怎么是温水泡茶？"

慧圆笑而不语，年轻人喝一口细品，不由摇摇头："一点儿茶香都没有。"慧圆说："这可是闽地名茶铁观音啊！"年轻人又端起杯子品尝，然后肯定地说："真的没有一丝茶香。”

慧圆又吩咐小和尚说：“再去烧一壶沸水送过来。”少顷，小和尚便提着一壶冒着浓浓白气的沸水进来。慧圆起身，又取过一个杯子，放进茶叶，倒沸水，再放在茶几上。年轻人俯首看去，茶叶在杯子里上下沉浮，丝丝清香不绝如缕，让人望而生津。

年轻人欲去端杯，慧圆作势挡开，又提起水壶注入一线沸水。茶叶翻腾得更厉害了，一缕更醇厚、更醉人的茶香袅袅升腾，在禅房里弥漫开来。慧圆如是注了六次水，杯子终于满了，那绿绿的一杯茶水，端在手上清香扑鼻，入口沁人心脾。

慧圆笑着问：“施主可明白，同是铁观音，为什么茶味迥异?”

年轻人思忖着说：“一杯用温水，一杯用沸水，冲沏的水不同。”

慧圆点头说：“用水不同，则茶叶的沉浮就不一样。温水沏茶，茶叶轻浮水上，怎会散发清香？沸水沏茶，反复几次，茶叶沉沉浮浮，最后释放出四季的风韵：既有春的幽静、夏的炽热，又有秋的丰盈和冬的清冽。世间芸芸众生，又何尝不是沉浮的茶叶呢？那些不经风雨的人，就像温水沏的茶叶，只在生活表面漂浮，根本浸泡不出生命的芳香；那些栉风沐雨的人，如同被沸水冲沏的茶，在沧桑岁月里几度沉浮，才终能脱颖而出，成就了不起的人生。”

人生路漫漫，充满了鲜花，也充满了荆棘；充满了幸福，也充满了痛苦。

不测是时时刻刻都存在的，学业的失意、疾病的折磨、自信的受损、亲人离去的悲痛……我们在踏上人生路途的时候就该明白前途的坎坷。要接受温润的春和赤烈的夏，就必须接受清冷的秋和寒冽的冬，正像茶叶一样，我们要坦然面对沉浮，让生命散发芳香……

那些不经风雨的人，就像温水沏的茶叶，只在生活表面漂浮，根本浸泡不出生命的芳香；那些栉风沐雨的人，如同被沸水冲沏的茶，在沧桑岁月里几度沉浮，才有那沁人的清香。

世间很多事情都是难以预料的，亲人的离去，生意的失败，失恋，失业……打破了我们原本平静的生活，以后的路究竟应该怎么走？我们应当从哪里起步，这些灰暗的影子一直笼罩在我们的头上，让我们裹足不前。

难道生活真的就这么难吗？日子真的就暗无天日吗？其实，并不是这样的。在这个世界上，为何有的人活得轻松，而有的人却活得沉重？因为前者拿得起，放得下；后者是拿得起，却放不下。很多人在受到伤害之后，一蹶不振，在伤痛的海洋里沉沦。

生活中有各种各样我们想不到的事情，其实这些事情本身并不可怕，可怕的是我们无法从这件事情所造成的影响中抽身出来，尽早地以最新、最好的状态投入到下一件事情中，哪怕我们现在身无分文，但我们可以从身无分文起步，一点一滴地打拼。磨砺到了，腾飞的翅膀就会变得坚硬，也就能够翱翔于天地之间了。

PART 02

在逆境中保持微笑

感谢
生活的赐予

感谢生活的赐予，不论一帆风顺还是一路坎坷。

帕格尼尼就是从苦难的沼泽中爬出来的天才人物。他3岁学琴，12岁举办音乐会并一举成功，获得媒体铺天盖地的报道。之后，他的琴声遍及法、意、奥、德、英、捷等国。据说，帕格尼尼的演奏曾使帕尔玛首席提琴家罗拉惊讶地从病榻上跳了下来，木然而立，自觉没有能力收他为徒。

4岁时，帕格尼尼几乎被一场麻疹和强直性昏厥症断送性命。7岁时又患上严重的肺炎，治疗中不得不大量放血。46岁那年，帕格尼尼的牙床突然长满脓疮，不得不拔掉几乎所有的牙齿。牙病刚愈，又染上可怕的眼疾。从那以后，幼小的儿子就成了他行路的拐杖。50岁后，关节炎、肠道炎、喉结核等多种疾病疯狂地蚕食着他的生命。后来，帕格尼尼的声带也坏了，只能靠儿子按口型翻译他的意思。

帕格尼尼似乎觉得自己的苦难还不够深重，他自己还要“折磨”自己。他长期把自己囚禁起来，每天练琴10至12个钟头，只有小提琴能让他暂时忘却痛苦和死亡。

帕格尼尼13岁时就已经开始周游各地了，他漂泊在异国他乡，四处流浪。后来，他除了儿子和小提琴，没有能让他安定下来休息的家，也没有什么牵肠挂肚的亲人。他一生和三个女人发生过感情纠葛，其中有拿破仑的遗孀。但在他眼中，这不是爱情，而只是他练琴的教场。苦难才是他的情人，他终生都把她拥抱得那么热烈和悲壮。

这位天才的小提琴演奏家，只活了57岁，死时口喷鲜血，像是要把终生的遭遇都吐出来。但是，上帝给他的苦难好像还没有到头，帕格尼尼死后的遗体也备受磨难，先后被迫搬迁了8次。

帕格尼尼的琴声产生了神奇的效果，意大利人传说是魔鬼传授给了他法术，他的琴弦是用情妇的肠子做的，所以才魔力无穷。维也纳有位盲人，听到他的琴声，一开始以为是乐队演奏，当得知台上只有他一个人时，禁不住狂呼：“他是魔鬼！”然后，急忙离去。巴黎人被他的琴声陶醉，以至于把当时流行的霍乱都抛在脑后，演奏会现场人头攒动……

歌德说帕格尼尼“在琴弦上展现了火一样的灵魂”。

李斯特大喊：“天啊，在这四根琴弦中包含着多少苦难、痛苦和受到残害的生灵啊!”上帝创造天才的方式,竟然这般匪夷所思!

莎士比亚曾满怀深情地对一个失去了父母的少年说,你是多么幸运的一个孩子,你拥有了不幸。当时这个刚失去了父母的孩子,正处在孤苦无依的悲惨境地,孩子非常不解地看着这个被人们尊敬的艺术大师。莎士比亚摸着孩子的头说:“因为不幸是人生最好的历练,是人生不可缺少的历程教育,因为你知道失去了父母以后,一切就只能靠你自己了。”40年以后,这个孩子——杰克·詹姆士,成为英国剑桥大学的校长、世界著名的物理学家。

人们通常会把不幸视为人生的逆境而哀叹命运的不公。可是,那些在人类历史上留下了杰出脚印的人们,很多都曾遭遇过不幸。从某种程度上说,或许正是因为人生中种种不幸的遭遇,才让他们认真思考自己的人生,是不幸给他们提供了发掘自己潜能的契机。从某种意义上说,命运如同一座大钟,很多时候,只有不断地接受苦难撞击时,生命才会释放最宏亮的声音。

人的一生很短暂,在两万多天的经历中,没有人从始至终都是幸运儿,我们的生命中,无不交织着喜悦与悲伤、顺利与坎坷、幸运与不幸、得到与失去。正是如此繁杂的内容,构成了生命的多姿多彩,我们才品尝到生活的滋味,才能在磨砺中增长智慧。

◇ 在逆境中保持微笑 ◇

哭泣过后，别忘了微笑

人生路上总是有挫折，但勇敢面对，挫折终将被你超越。

以乐观的心态面对挫折与失败

如果心态积极，什么都难不倒你。

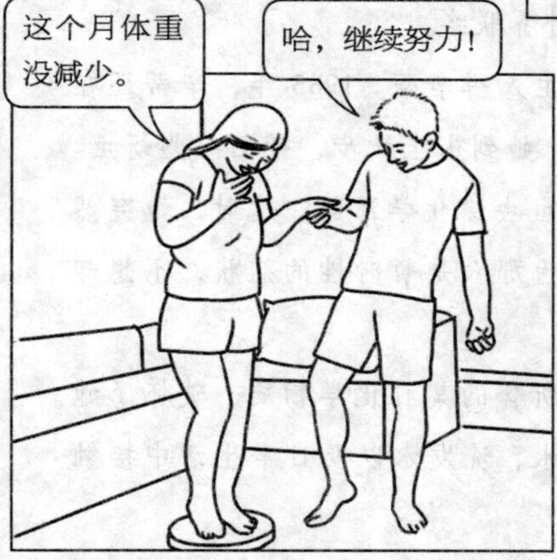

困难不能阻碍你获得快乐

胖瘦都没关系，开心才最重要。

哭泣过后，别忘了微笑

在人生的道路上，挫折、困难甚至绝境无处不在，我们所能做的只有乐观向上，始终以微笑面对人生。 如果生活让我们伤心，那么哭过后请保持微笑。 因为微笑的人生是快意的，微笑常常具有震撼世界的力量，可以驱散人生所有的苦难。

在美国爱荷华州的一座山丘上，有一间完全用天然材料搭建而成的房子。屋里人需要依赖人工制氧才能生存，并只能通过传真与外界联络。

住在这间房子里的主人叫辛蒂。1985 年，辛蒂还在医科大学念书。有一次，她到山上散步，带回一些蚜虫。她拿起杀虫剂试图为蚜虫去除化学污染。这时，她突然感觉到一阵痉挛，原以为那只是暂时性的症状，不想却酿成她后半生的噩梦。

原来这种杀虫剂内所含的某种化学物质，破坏了她的免疫系统，使她对香水、洗发水以及日常生活中接触的一切化学物质产生过敏，连空气也可能造成她的支气管发炎。这种“多重化学物质过敏症”是一种诡异的慢性病，迄今为止都无法医治。

患病的前几年，辛蒂的症状是口水直流，尿液变成绿色，有毒的汗水刺激背部留下一块块的疤痕。她甚至连经过防火处理的床垫都不能睡，否则就会产生心悸和四肢抽搐。辛蒂所承受的痛苦是超出常人想象的。1989 年，她的丈夫吉姆用钢和玻璃为她盖了一所无毒房间，一个可以抵御各种威胁的“世外桃源”。辛蒂的饮食都严格把关，她平时只能喝蒸馏水，食物中杜绝任何化学成分。

多年来，辛蒂没有见到过一棵花草，听不见一声悠扬的歌声，感觉不到阳光、流水和风。她躲在单调的小屋里，忍受煎熬。更可怕的是，再痛苦伤心她都要忍住眼泪，因为她的眼泪跟汗液一样具有毒性。

坚强的辛蒂并没有因痛苦而沉沦，她一直在为自己，同时为所有化学污染物的受害者争取权益。生病后的第二年，辛蒂就创立了“环境接触研究网”，为那些致力于此类病症研究的人士提供平台。1994 年，辛蒂又与另一组织合作，创建了“化学物质伤害资讯网”，使更多人免受化学物质的威胁。

生活并非是早已设定好的。如果你不喜欢，一切都可以改变！一个人只有能够笑对灾难，才能够安慰自己。所以，哭泣过后，别忘了用你的微笑去面对一切，那样一切困难都将被你的微笑击败。

困难并不能阻碍你获得快乐

人这一生，幸福和挫折是每个人都会遇到的。当快乐的时候，我们总会觉得时间很短；而苦难的时间却总显得很漫长。所以，我们常常抱怨生活和命运的不公，变得不快乐。

若是论命运不公，海伦·凯勒是最有资格的，可是，她并没有因为挫折而变得苦闷。

美国著名的女作家海伦·凯勒顽强不息，得益于安妮·莎莉文老师的教导，她不仅学会了五国语言，完成了许多作品，还建立了慈善机构，成为《时代周刊》评选出来的美国20世纪的十大英雄偶像之一。

1880年的6月，海伦出生在一个小城。当她一岁的时候，有一次高烧好几天，退烧后就失去了听力和视力。

她不能与人沟通，也看不见世界的光亮，她没有轻易放弃，反而通过自身的努力取得了各种成就。她并不抱怨，她用各种方式来感受生活，来体会各种爱。因为安妮老师的帮助，海伦克服了生理缺陷造成的心理压力。她热爱生活，喜欢阅读和沟通，并成功从哈佛大学的拉德克利夫学院顺利毕业，成了优秀的作家、教育家。

这个盲聋女孩很快乐也很有智慧。她在世界各地为盲人学校筹集资金，将自己全身心的贡献给了盲人教育事业和福利事业。她得到别人的赞誉，也获得了很多国家授予的荣誉。

海伦的一生都在无光无声中度过，却能够为我们带来希望，因为她有坚强的心，她有面对困难时惊人的毅力和拥抱世界的爱心。

这一切都在告诉我们，困难并非苦闷的根源。当我们遭遇困境时，不要因此而悲观、停留，要视其为人生的历练，将其当作人生常态，这对你的成功有帮助。

人生如此的漫长，不可能都是顺利的，挫折是在所难免的。当我们经历了挫折之后会变得更加顽强与成熟，更能获得成功。挫折不仅能够给我们带来经验，也会升华我们的人生，因此我们要正确对待挫折。

查尔斯·斯坦梅兹曾经性格孤僻，经常闷闷不乐。他一出生脊柱就是弯曲的，此外他的左腿也有残疾。他家境贫寒，一岁的时候母亲就去世了。畸形的身体致使他无法做很多事情，小时候很多孩子都嘲笑他。

然而上帝并没有抛弃他，为了弥补他生理上的缺陷，赋予了他智慧的大脑。因为这与生俱来的优势，查尔斯忽略了自己生理的缺陷而专注于培养智慧。当他八岁的时候，他就对数学产生了浓厚的兴趣。

大学期间，他的学习成绩优异。平时，他辛苦地攒着每一分钱，为的是在毕业典礼上能够买一套正装穿在身上，然而，校方却以身体缺陷为由不让他参加毕业典礼。

他发誓要让别人明白他内在的才华，从心里尊重他，而不是让他们同情自己的身体缺陷。

毕业后，他开始四处寻找工作。很多公司都以身体缺陷为由拒绝他，最后他在通用电气公司担任绘图员，虽然薪水微薄，但他努力地做好自己的本职工作。除了对本职工作兢兢业业，他还开始研究电力学，并在工作中和同事建立了良好的友谊。

过了一段日子，他的才华为总裁发现了，他告诉查尔斯："在这个工厂里，你可以放手去做你想做的事。哪怕你在做白日梦，你的白日梦我们也会买单的。"

查尔斯凭借着自己的才华逐渐积累起了不少财富，并有了幸福的家庭。他也拥有了正常人快乐的生活。他一生的努力使他拥有达200多项专利发明，同时还发表了许多和电子学、工程学相关的专著。

用笑容面对苦难

叔本华说："人生就是一次痛苦的旅程，我们从出生到死亡，痛苦就一直包围着我们。看不开的人，永远都会与快乐绝缘。快乐的人以从容的态度看淡人生，以微笑来对待生活中的种种遭遇。"

俄国诗人普希金说过："如果你被生活欺骗了，不要悲伤，不要心急，忧郁的日子里需要镇静，相信吧，快乐的日子将会来临。"如果生命没有把完美和幸福赐予你，那你更要以笑容来面对。

人生在世，要经历很多风风雨雨，每个人都会遇到无数风浪。光阴荏苒，韶华易逝，人的一生并不长，美好的回忆与失意的事情，都会成为过眼云烟。

有的人苦于人生短暂，悲从中来，再加上生活中有很多事情都不能让自己称心如意，难免失落不已，感觉生活暗淡无光，只能苟活于世，徒增烦恼，乃至轻言生死。这种消极的心态会使人失去幸福的生活。

在大文学家雨果的眼里，生活就是自己身上有一架天平，对善恶有很好的衡量。生活，就是有正义感、有真理、有理智，就是做到真诚，并且对权利与义务同等重视；生活，就要对自己的价值了如指掌，知道自己所能做到的与自己所应该做到的。

要如此透彻、理智地理解和面对生活，实属不易。现实生活中的人，要把生活的真谛弄清楚，多给自己以鼓励和宽慰，才会变得越来越幸福。

从前，有位女士觉得自己的人生悲惨、沉重。她终于忍受不住了，跑到一座山顶上，想跳下去了结自己的生命。

一位守山的老人听到了她的哭诉，走过来对她说："我们来比比看谁的生活更悲惨。"

这位女士说："我从小没有母亲，父亲从不管我。我也没有进入理想的院校，仅仅读了一个中专，现在连一个工作都没有。男朋友和我分手了。现在我无依无靠，租的房子也到期了……你说我悲惨不悲惨？"

老人听了哈哈大笑起来："年轻人，你有着让人羡慕的幸福人生呀！"

这位女士很气愤，老人到这个节骨眼还拿自己开玩笑。

老人接着说："你从小没有母亲，我都不知道谁是我的父母。你没有考上大学，我幼儿园都没有读过。你和男朋友分手了，我都要死掉了，可我一直都是单身。你还有钱租房子，我只能住在山洞里……你说，我们两个到底谁更悲惨？"

这位女士很惊讶地说："真没有想到还有比我更悲惨

的人存在，如果我是你那样还不如死了算了。”

老人又笑了：“如果人们都有着和你相同的想法，人类早就死光了!”

这位女士不解地问：“你有着这么悲惨的遭遇，为什么还那么开心呢?”

“因为还有人比我更加悲惨。因为我还活着。”

很多时候，人可以从多方面来感受生活，特别在和他人比较时，感受更是大为不同。就如那位老人说的，还有很多比自己更悲惨的人，所以你应该庆幸，何必认为已经走投无路呢？任何时候都应该积极面对以后的生活。

任何一个人来到这个世界上的时候，不能选择自己的容貌，无法选择自己出生的国度、家庭、父母。我们不能选择容貌，但可展现笑容，依然可以获得精彩。

生活对每个人都是公平的，然而每个人的想法却有所不同。悲观的人认为生活是痛苦的，这是因为她看到了生活的悲观一面，而忽视了积极的生活。乐观的人认为生活是丰富多彩的，享受生活。

笑对生活，才会有刘禹锡的“沉舟侧畔千帆过，病树前头万木春”的积极人生态度，才会有李白的“乘风破浪会有时，直挂云帆济沧海”的旷达情怀。

生活是多彩的，关键是看你如何把握生活，享受生命。积极地笑对生活，即使在寒冷的冬天也不会觉得寒冷，即使在漆黑的午夜也会看到希望的曙光。用微笑来面对生活，对每个人、每件事都要积极面对，你就会感受到阳光灿烂，一定有更美好的风景在迎接你。

凡是打不倒我们的，必会让我们更强大

历经痛苦和挫折的人，比一般人成长得更快。在重重挫折的磨炼下你的人生会得到进一步提高和升华。也就是说，只要我们没有被打倒，就能浴火重生，站起来之后会更加强大。

松下幸之助是众人口中的“经营之神”，但他并不是一帆风顺的，正是生活的不幸让他随时与命运抗争，最终成为强者。由于家庭遭遇不幸，只有9岁的他就被迫去做小伙计，15岁时父亲去世，小小的他就担负起了家庭的重担，颠沛流离、寄人篱下的生活使他比同龄人承担的更多。

1910年，松下幸之助只身来到大阪，成为电灯公司室内安装电线的练习工，所有的一切都从原点开始积累、学习。不久，他凭借自己的诚实守信及一流的服务得到了公司的认可。22岁那年，他成为公司年龄最小的检查员。在看似一切都很顺利的时候，一个意外的挫折打破了他一帆风顺的生活。

面对家族病，松下幸之助也没能幸免，他前后有九位家人因为家族病而在30岁之前去世，他的父亲和哥哥也不幸位列其中。但要养家糊口的他不可能遵照医嘱去安心休养，唯一的选择就是一边工作一边治病。这个时候的他根本没有任何退路和其他的选择，而他对可能发生的事情做好了充分的思想准备，由此他也自创了一套对抗疾病的独特方法：第一步就是不断地自我调整，时刻提醒自己要保持平常心；第二步就是加强锻炼，提高自身免疫力，让自己保持充沛的精神和活力。坚持了一年之后，他的身体状况有了很大的提高，还让自己的内心变得更加坚强，此时的他心态也越来越好。

患病治疗的这一年也让他有机会重新思考自己的生活，松下向公司提出了改良插座的建议，但是没有被采纳，因此他决定辞职，独立创业主营插座。

但是松下幸之助创业的时候正值一战，所有东西价格飞涨，他的创业基金还不到100美元，可以想象当时的他面临着怎样的困难。公司最初成立，主营插座和灯头，但是当这些商品在市场销售的时候，他的电器公司在销售上又遇到了困难，才成立不久的公司，就面临着倒闭关门的危险，无奈之下员工们纷纷离职另谋出路。

但是在松下看来这些都是创业必然经历的过程，他告诉自己："再努力一点点，就离成功更近一步！我对自己有信心。"他始终坚信：只要坚持不懈地努力肯定会走向成功的。此后松下又面临一次次挫折。到1949年时，松下公司不仅没盈利，还筑起了十亿元的债台。

面对这一次次的打击，松下幸之助又一次次地站了起来。他没有被经济危机打倒，还带领松下电器公司一次次化解危机、渡过难关，归根结底就是他那颗年轻有活力的心，能在困难挫折面前处变不惊。松下幸之助总是这样鼓励自己："只要你的心永葆开放和年轻，随时随地你都能找到值得你学习的人和事。成功也好，失败也罢，淡定坦然的心态，才是聪明人该有的处事方式。"

老子的《道德经》中记载："天地不仁，以万物为刍狗。"生活在天地之间的人物个体，必然面临压力，这在无形中折磨着人的精神和肉体，因此很多人认为人生来就是受苦受难的。

这种观点不是太消极悲观了吗？ 生活中固然有困难，但是不管怎样生命也没有由此而终止，不是吗？ 我们依然能走出困境，不是吗？ 当你回想曾经发生过的事情时，或许你会豁然开朗，经历痛苦折磨过的生命，会具有更加强大、旺盛的生命力。

生活中无数的事实都告诉我们这样的道理，不经过暴风雨洗礼的雄鹰无法遨游天空，没有经过苦难训练的士兵肯定不可能成为一名元帅，不经过老板和同事折磨过的新人永远不能成长……任何想要变得更高、更强大，被磨炼是必不可少的。

PART 03

建立积极的心理暗示

面对逆境，
给自己多做积极的心理暗示

心理暗示在生活中是非常普遍的，这是我们自身面对外界环境或者发生某件事情的时候，自然发出的信息，而个体在无意识的状态接收到了这种自然的信息，并及时地用身体本能地做出回应的一种心理现象。暗示的力量不容忽视。积极的心理暗示引导人们不断进取，消极的暗示则会让人颓丧。如果能够巧妙地利用积极的心理暗示，对我们的工作、学习、生活都有积极的帮助。

1960 年，任职于哈佛大学的罗森塔尔博士进行了这样一个实验。

就在学校刚刚开学的阶段，校长请两位老师到办公室来，对他们说："你们在过去的几年里，教学成绩突出、表现良好，你们被评为全校最优秀的两位老师。为了表示对你们多年教学成绩的奖励，今年学校从入学的新生中选出了最聪明的学生组成两个班，而你们就是他们的班主任。一定要注意，你们教的孩子都是千挑万选出来的，智商远在同龄人之上。”但是校长一再向老师们强调：“你们在教育教学的过程中，不能将他们特殊化，更不能让学生或是家长知道这些孩子是刻意选拔出来的。”得到了这样奖励的老师非常自豪，在教学工作中更加尽心尽力了。

一年过去了，这两个班的孩子确实是智商最高的，他们的成绩在全校各班中也是最优秀的。当他们向校长汇报自己的教学成果时，校长却告诉他们说：“这两个班的学生的智商其实和其他班的学生的智商差不多。”两位教师一时难以置信。

随后，校长还揭露了一个更大的事实说：你们也不是什么表现最好的老师，只是随机抽选出来的。听到这几句话，两位教师完全震惊了。

但是不论教师怎样吃惊，这一切都在校长的预料之中：两位老师对自己班上孩子的智商都深信不疑；对自己的能力也有十足的把握，完全相信自己是最优秀的；他们开展教育教学工作的时候信心百倍，在工作中投入百分之百的热情和努力。

罗森塔尔博士的实验启发我们思考：无论准备做什么事情，如果能准确地利用积极的心理暗示，将会信心满满，有不竭的前进动力。如果对自己的能力信心满满，那么何愁不会成功呢？面对随时都会出现的问题，我们不妨用这样的心理暗示告诉自己：你是独一无二的，你是最优秀的，那么最后结果会证明你的暗示是正确的。

詹姆士·艾伦在《人的思想》一书中写道："如果细心观察，人们会发现，一个人如果改变了对周围的人与事的态度，那么这些事物和身边人对他的意义和影响就真的改变了——如果当事人思想上进、心中光明，他终究有一天能感受到，他的生活已经在无形之中发生了巨大的变化。外界固有的事物我们没有能力改变，但是我们能增强自身魅力去吸引他们聚拢在我们身边，因为，真正关乎一个人气质修养的东西一定是内在的，说到底就是我们自身。很多时候思想的高度就决定了你可能拥有什么。只有具备奋发向上的思想的人，才有可能征服世界、缔造奇迹，最终才能取得成绩。如果一个人思想消极倦怠，整个人呈现出的状态就是堕落和忧愁。"实际上，詹姆士·艾伦反复强调的核心就是积极暗示带来的作用和效果。

那么，在具体的操作中，常用的积极暗示的方式有哪些呢？

1. 对自己说一些自我激励的话语

当我们用语言进行自我激励的时候，一定是那些能带来正面向上力量的语言。如："我是最棒的，我能行""这件事情对我来说就是小事一桩"。

2. 学会使用心理图像

当我们的情绪被消极的思想控制的时候，我们不妨马上转移注意力，想想让你欢欣鼓舞的事情，也可以以那些坚忍不拔的意志克服困难而最终获得成功的人为榜样。榜样的力量是无穷的，他们为了梦想而奋斗的事迹能让我们迅速走出困境迈向成功。

3. 动作也是自我暗示的一个良好方式

一个人情绪低落、郁闷烦躁的时候，可以通过散步让自己放松；当你面对一件事情紧张不已的时候，可以通过深呼吸让自己平静下来。

4. “包装”自己，改换造型，对自己不断地进行积极的心理暗示

有的人在心烦浮躁的时候，往往会去做一个全新的发型，改变自己的形象，也告诉自己，所有的改变从“头”开始。有的人在心情不好的时候会去给自己买一套新衣服，整个人的精神面貌焕然一新，宣告烦恼的事情已经过去，要用全新的姿态迎接未来。

5. 营造不同的环境进行自我暗示

当你心情不好、压力很大的时候，不妨用悠扬舒缓的音乐调整自己；当自己在生活中完全感受不到快乐与趣味时，你不妨寻找身边普通人的感动与温馨，从这些感动中找寻生活的意义和乐趣。

其实，不同的人之间没有什么特别大的差距，但就这不大的差距，让人们的命运变得截然不同！这个差异就是在面对问题的时候所选择的心理暗示的差异。因此，在我们的日常交往中，有意识地进行积极的自我暗示，然后坚持不懈地努力下去，终究有一天，我们也会成为别人羡慕的成功者。

◇ 建立积极的心理暗示 ◇

积极的心理暗示很重要

会让你自信满满，拥有不竭的前进动力。

以一位名人为榜样激励自己

在一次次挑战中实现自我超越，自我强大。

任何时候不要忘了自我赞美

每一个心灵都需要自我激励，使自己身心更加愉悦。

改变思维，调整心态

有人说，打败一个人的往往不是眼前的困难，而是他自己的意念。一念之间，你的人生境遇也会随之发生改变。很多人在思考问题时，如果持有不科学的思维方式，他们的情绪会更加糟糕；相反，如果对待矛盾和问题，采用正确的思维方式，他们的情绪就是积极上进的，最后也会一步步地引导他们走向成功。事实上，多数情况下，从另一个角度换位思考，你会发现世界与众不同。

比尔·盖茨在形容人与人的区别时这样说道："人与人之间的差异就看他的头脑和思维。"因此，成功与否的直接决定因素就是人的思维。学会用积极的思维方式消除消极的思想，这就是一个人实现自己人生价值的捷径。

我们也经常强调遇到事情要保持正面的积极的心态，只有光明的思维才可能带来积极的心态。在光明思维者那里，每一个困难中都蕴含着机遇；黑暗思维的人，即使机会就在眼前，他们的眼中也只有失败。

张红是一家小型酒店的前台接待员，她每天的工作就是和来往的客人打交道。

一天下午两点左右，一对穿着讲究的年轻人来到酒店，她按照以往的惯例赶紧站起身来迎接，微笑着招呼他们。但是她发现走在前面的男人一句话都不说，只是满脸微笑地看着她。张红又问能为他做些什么，这时，身边的女人给了男人一个笔记本和一支书写笔。

男人在纸上写了一行字："我们是聋哑人，我们用笔交流可以吗？"张红恍然大悟，赶紧点头表示同意。男人接着写："我们这次主要是来这里蜜月旅行的，你能帮我们推荐一个合适的房间吗？干净、舒适就可以。"张红和他俩一来一回地在纸上问答交流。根据二人提出的要求，张红详细地把酒店的相关房间标准及具体的服务项目写在纸上。

这对来度蜜月的恋人在这里住了半个多月。张红的服务让他们非常满意、开心，进出都主动向张红问好。张红闲下来的时候，他们还会主动走过来和她通过书写进行交流。在彼此愉快地来往几天之后，素昧平生的他们竟然变成了好朋友。

经过几天的交流和了解，张红对这对聋哑人夫妇有了深刻的认识，尽管他们在表达上有些障碍，但是他们做的事情是许多正常人都做不好的。他们现在有属于自己的一定规模的盲人按摩店，这次出来一方面是度蜜月，同时也对这里的市场进行简单的调研，因为他们想继续扩大经营，再开一家连锁分店。

听了他们的想法，张红既惊奇又敬佩，因为她心里一直在想：聋哑人本身就有交流障碍，难道就没有抱怨生命的不公平吗？虽然自己身体健健康康的，但每天都还想着生活中那些烦恼的事情。

这对聋哑人的事例值得我们每个人学习思考。他们对待生活的思维方式其实就是一种光明思维，他们拥有积极健康的心态。人生中要追求的东西的确有很多。如果每天怨声载道，总是想到不如意的那一方面，这个人的思维方式绝对是黑暗的。在光明思维的指引下，我们在困难和逆境面前，也能拨云见日看到阳光和希望。

林语堂曾说过："当你面朝阳光的时候，你就把阴影永远地留在了背后。"生活中遇到挫折和失败是非常常见的。这种情况下，你可以暗示自己：就算这样我还是非常幸运的一类人！起码我还有工作还能养活自己，不是吗？还有多少人因为公司裁员而失去了工作？况且世界上还有很多人在温饱线徘徊，和他们比，我还有什么可抱怨的呢？

成功学大师拿破仑·希尔曾经在美国最有作为的人中进行了一个调查，结果表明，积极的思维对成功的推动作用是很大的。使用积极的思维，你的心中永远都有一盏明灯闪耀，它能驱散你心中的阴霾和寒冷，你的人生也会时刻充满活力！

找一个成功的榜样激励自己

成功的人都少不了十足的自信。除了积极的自我暗示，另外就是利用榜样的力量，学习模仿，用行动去说话。在一次次挑战困难和挫折的时候，你的自信心也会逐渐强大起来。

向榜样学习能产生无穷的力量。美国学者约翰·麦克斯韦尔说："榜样的力量是无穷的，它是唯一可以影响他人的因素。"因此，当我们在为成功而不断努力的时候，不妨先找一个榜样作为自己的精神支撑，用身边的榜样来激励自己不断前进。

有一个法国人，到了不惑之年还是没有什么成就，他频繁地换工作、失业，一直动荡不安、四处漂泊。妻子实在忍受不了决定离他而去，离婚的时候还将他们唯一的儿子也带走了。面对工作的压力和家庭的剧变，他整个人完全变了，一点小事情就会引发他的怒火。最后，他流落街头，以乞讨为生。

一天，他来到一个新的小镇开始乞讨。由于走了很长时间的路特别疲惫，就坐在一个看手相的摊位面前休息。突然，一声大叫传入他的耳朵："上帝啊，伟大的拿破仑先生，你怎么可能会出现在这个地方？"

"什么？"他满脸的疑惑，"拿破仑在哪里，我吗？我看你这是在说梦话呢吧？我是个要饭的乞丐！"

"不，"看相人说，"其实现在的你是拿破仑转世，所以你继承了拿破仑的智慧，甚至你的长相、你身体里的血液都是拿破仑的，莫非你一直都不知道吗？"

"怎么可能？"他说，"我现在是一路乞讨无家可归至此的。"

"先生，"看相的人接着对他说，"你说的这些都已经过去，且看三年后，你绝对是法国最伟大的人。"

从那之后，这个法国流浪汉就把自己与拿破仑联系起来了。只要是关于拿破仑的书他都会去读，并以拿破仑为榜样，学习他的处世方式、战略智慧。不久，他有了一份新的工作开始自我谋生。几年后，他成了一家公司的老总，生意经营得非常好。又过了十年，他已经是拥有亿万资产的富翁了。

榜样能产生巨大的力量，因为以成功者为榜样学到的是成功，如果跟着失败的人就只能导致失败。所以我们要善于从身边的优秀人才中挖掘他们的长处，再结合自身条件转化成自己的，慢慢使自己也成为一个成功的人。

任何时候都不要忘了自我赞美

尼采曾说过：“离自己最远的是自己。”这话的意思是指，其实我们最不了解的是自己，我们常常忽视了自己。

我们都知道，一个好的演员不能缺少赞美，就算没有别人赞美，也应该自己赞美自己，这样才能保持自己对舞台的热情。员工少不了老板的夸奖，学生少不了老师的赞扬，孩子少不了父母的肯定，其实道理都一样。脆弱的心灵需要经常激励与抚慰，也需要自我表扬和自勉，这会让我们减少很多压力，使我们的身心更加愉悦。

生活不能事事顺心，只有时刻保持自信和快乐，才会使自己更加热爱生命、热爱生活。只有保持快乐的心情，创造力才能最大地激发出来。只有不断地给自己创造快乐，远离痛苦和烦恼，生活才会变得更加美好。

当年拿破仑在奥斯特里茨面临比自己人数多的强敌，却又不得不与之决战时，他对自己的士兵们说：“……兄弟们，希望你们不要忘了：我们来自法兰西，我们是最优秀的，是不可战胜的！我希望你们能在冲向敌人的时候高喊着：‘我是不可战胜的，我是最优秀的士兵！’”战斗打响后，法国士兵大声高喊“我是不可战胜的，我是最优秀的士兵”，结果他们以一当十，摧枯拉朽地大败奥、俄等国联军。

时常自我赞美，你就会得到不可思议的力量；你就可以让自信的阳光融化心中的胆怯和懦弱；你就能够唤醒自己的无限的潜力，帮助你不断前进；你就可以获得灵魂的安慰，不会迷失在绝望的黑暗里……

自我赞美远比别人的赞美来得容易。既然不能缺少赞美，赞美也会使我们潜力提升，帮助我们前进，那么我们何乐而不为呢？ 好好地赞美自己，既为自己喝彩、叫好，又能体会到成功的喜悦。

心态积极，你就拥有了逆转命运的力量

有什么样的内心往往决定了拥有什么样的命运，要想让自己保持愉快的情绪，那么你的心必须永远听你的指挥。你内心的状态直接决定了你拥有怎样的生活质量，从而决定了你的人生幸福与否。

有人认为世界上的人有幸福与不幸福两类。其实这两类人差异并不大，最大的差异也就是不同的心态，更确切地讲，二者的差异在于控制自己内心能力的大小。幸福的人并不是说他的人生就是坦途，也不是他们有多么强大的个人能力，关键在于他们能将内心牢牢地掌握在自己手中，即使面对狂风暴雨也能想到绚丽的彩虹，被打倒了也能挣扎着重新站起来，看到一片美好的未来。

相反，对那些不幸福的人来说，根本不是他们自己说的时运不济，更不是有的人说的苍天不公平，幸运之神没有眷顾，而是因为他们不能控制好自己的心，随意地放纵了个人的情绪。

总而言之，幸与不幸的差异就取决于你的内心。平衡的心理状态下你能战胜挫折，时时刻刻感觉自己就是幸福的；相反，在不平衡的心理状态下你就无法战胜挫折，感觉不到幸福。

哲学家曾说：人真正的主人就是自己的内心，你有足够的能力就可以选择驾驭生命，否则你就会被生命驾驭，驾驭还是被驾驭，决定权就是你的心态。心态平衡的话，你肯定拥有一个充满希望的人生，反之内心失衡，阴霾就会笼罩着你的生活。

甲乙两个人在沙漠中迷路了，到了晚上水壶里的那点水早就没有了，又渴又累又热，两个人的身体能量基本到了极限，瘫在地上一动不动。

甲对乙说："你现在看到的、想到的是什么呀？"

乙有气无力地回答说："我感觉死亡正在向我招手，死亡之神正在一步步地走向我们。"

谁知甲却笑着说："我和你不一样，我看到了家人正等我回去的期待的脸庞。"

最后，看到死亡之神的乙毫无悬念地死在了沙漠中，其实还差一点点路就能走出沙漠了，他却选择了自杀，一死百了；而甲在心中对亲人思念的支撑下，沉着冷静，想到了用星星判定方位，用智慧和毅力走出了沙漠。

有人用天平的两端形象地表达这种关系：将人比作一架天平，天平的左侧是心理补偿功能，右侧代表消极情绪和心理压力。

那么，进行心理补偿的时候有没有什么切实有效的策略呢?

首先，必须要清楚生活中的烦恼是不可避免的。心理补偿一定是以理智为前提条件的。生活在社会中的人是有感情的动物，所以才会有喜怒哀乐的情绪变化。自控能力差的人遇到问题只会四处抱怨、逢人就喊，似乎讲出来以后问题就不复存在了。其实这些做法都是徒劳无益的，任凭你如何抱怨，问题从来没有减少。

有大智慧的人敢于直面现实，他们不会做白日梦，幻想一夜成名，也不会为已经过去的事情懊悔不已，他们总是想每个人都有一本难念的经，并不是什么命运不公、时运不济的问题。这样一来减轻了心理的压力，从而让自己的心理保持平衡。保持冷静客观才有可能准确地认识问题、分析问题，找寻解决问题的办法。

其次，精神胜利法在困难面前是必要的，适当的阿Q精神有时是有好处的，它对我们的心理补偿有积极的帮助。例如，你准备了很久的表演失败了，你就想失败是成功之母；当你被人误解的时候，你可以用“在骂声中成长”来激励自己。

再次，进行心理补偿的时候还有一点值得注意，一定要分清楚自我宽慰和放任自流的区别，二者不能等同。真正豁达乐观的人，会毫不留情地批判自己犯下的错误，还会用严格的标准来要求自己，不断地向自己发起新的挑战。

PART 04

相信自己，把自卑还给上帝

相信自己
独一无二的价值

每个人都有专属于自己的优点和缺点，也都有自己的作用和能力，就像是一只小螺母、一个小小的贝壳，把自己摆在正确的位置上就能创造更多的价值。无论什么时候都不要自己放弃自己，要相信你是造物主创造的唯一的一个，你在这个世界上是独一无二的，只要摆正了你的位置，你就会缔造神话。

一个从小在孤儿院长大的小男孩，经常伤心难过地追问院长："像我这样被别人丢弃的孩子，还有什么值得我活下去的呢？"

院长总是一脸和蔼地鼓励他："孩子，不要泄气，谁说别人都不要你了？"

有一天，院长把一块普通的石头交给这个小男孩，叮嘱道："明儿赶早，你到市场上去把这块石头卖了吧，但不是真的要你卖掉它。要记住，不管别人出价多少，你都不能卖给别人。”

小男孩以满怀不解的表情接过了石头。第二天，男孩丝毫没有底气地在市场里卖石头。让人惊讶的是，竟然有很多人想买他手中的石头，并且一个比一个喊价高。男孩按照院长的吩咐，没有卖给任何人。晚上回到孤儿院之后，他兴奋地将经过告诉院长。院长笑了笑，让他明天继续拿着这块石头到黄金市场上卖。在黄金市场，这块石头的市场价格已经达到了昨天的十倍，男孩还是没有把它卖了。

最后，院长让小男孩拿着这块石头到宝石市场上作展品。结果，这块石头的价格又猛涨了许多。因为男孩不管多高价都不出手，这块石头被人们奉为“稀世珍宝”，参观者纷至沓来。男孩拿着这块石头高高兴兴地回到孤儿院，激动地将情况告诉了院长。院长用热切的眼神看着男孩，慢慢地说道：“生命的价值好比这块石头，在不同的地方就会有不一样的价值。一块很普通的石头，因为你的珍惜、不舍得出售而使得它的价值提升了，被奉为稀世珍宝。你不就和这块石头一样吗？只要自己有自信，懂得抬高和看得起自己，生命就存在意义、存在价值。”

一块石头有它自身的价值，人也是如此。要相信自己独一无二的价值，然后把自己的价值发掘出来，使自己成就不平凡的人生。

◇ 相信自己，把自卑还给上帝 ◇

人生没有承受不了的事

只要拥有自信，就没有过不去的坎。

每个人都有自己独特的价值

把自己摆在正确的位置上，就能创造更多的价值。

蹲下是为了跳得更高

一次成功并不值得人尊敬。跌到谷底再爬起来，才真值得人尊敬。

人生没有承受不了的事

每个人都拥有惊人的潜力，有些时候，那些你认为自己无法承受的事情却往往能够咬牙坚持下来。只要拥有自信，就没有过不去的坎。一旦自己勇于接受挑战，就能承受住这些考验。等到你逐渐适应了这些磨难，你就会有意外的收获。

帕克是一家汽车公司的职员。不幸的是，工作上的一次意外事故使他永远失去了自己的右眼。之前积极乐观的帕克，在这件事后变得沉默寡言。他不敢到外面去，因为他无法面对那些向他残疾的眼睛投来的各种各样的目光。他无限期地延长了自己的休假，家庭的重担全部压在了妻子艾丽丝身上。她深深地爱着自己的家和自己的丈夫，期盼自己的家庭能像以前一样无忧无虑。艾丽丝相信随着时间的流逝丈夫心中的阴影总有一天会消除。

更为不幸的是，帕克剩下的那只眼睛的视力也在逐渐下降。一个天朗气清的清晨，艾丽丝惊讶地发现丈夫已经分辨不出在院子里踢球的儿子。而之前，即便儿子在很远的地方，帕克都能看得到。艾丽丝没有说任何话，只是走到丈夫身旁，动作轻柔地抱住她的头。帕克说："亲爱的，我已经知道接下来会发生什么了。"

艾丽丝控制不住地流下了眼泪。事实上，妻子很早之前就已经知晓，但是央求医生不要告诉已经承受了巨大打击的丈夫。明白自己将会失明的帕克却变得比之前更为平静，妻子为此十分担心。艾丽丝明白光明的日子对帕克而言已经所剩无几，希望可以给丈夫留下美好的画面。接下来她总是花大量的精力打扮自己和儿子，还时常光顾美容院。当站在丈夫面前的时候，她总是努力用微笑来掩饰内心巨大的悲伤。

时间又过去了几个月，帕克对妻子说："艾丽丝，你的新套裙旧了吧?"

艾丽丝答道："真的吗?"她跑到一个在他视线范围之外的角落低声啜泣。在阳光下，艾丽丝那件套裙的颜色鲜艳欲滴。她在认真思考，还有什么能永远留在丈夫的心里。次日，艾丽丝找来了一个油漆匠来粉刷家里的家具和墙壁，这样一个新家的景象就会一直留在丈夫的心里。工匠做得很细致，一边忙着干活，一边还不停地吹着口哨。所有的家具和墙壁终于在一周之后焕然一新。对帕克的病情，工匠也有了了解。工匠对帕克说道："很抱歉，我的活儿做得太慢了。"

帕克说："你每天都这样开心，让我也觉得开心起来。”结算报酬的时候，油漆匠在原来的价钱上减去了100元。夫妻二人说道：“你把工钱算少了。”

油漆匠说：“我拿的已经很多了，一个人能那么平静地等待失明的到来，你让我知道了勇气是什么样子。”然而，帕克一直坚持应该多付100元给油漆匠，他说道：“你也让我明白了，残疾并不就意味着无能和与生活的快乐绝缘。”原来帕克发现工匠只有一只手。

身体的残缺是无法影响一颗乐观向上的心灵的。你必须懂得生活，只要勇气尚在，你人生的斑斓色彩就不会失去。每个人都具有无穷的潜力，人的心灵不会被世界上的任何事情击倒。只要保持自信的心态，生活中没有什么是无法承受的。

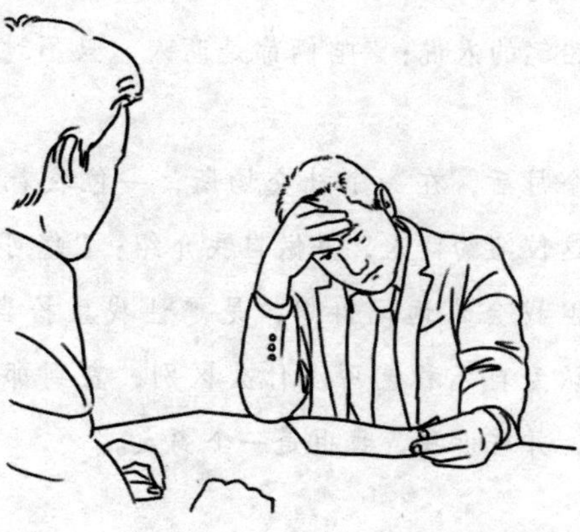

坚信自己一定会成功

有这么样一个故事：

一个纽约的商人碰到一个衣衫褴褛的铅笔推销员，顿生同情之心。他给了卖铅笔的推销员1美元，就打算走开，但他想了一下，又停下来，从盒子里拿了一把铅笔，并对卖铅笔的人说："咱俩都是商人，只不过经营的商品不同。"

几个月后，在一个社交场所，一位衣着整齐的推销商迎上这位纽约商人，并做自我介绍："您可能已经忘记我了，但我会永远记得您，是您让我重拾自尊和自信。我一直认为自己和乞丐没什么区别，直到那天您买了我的铅笔，并告诉我，我也是一个商人。"

"推销员"把自己当作乞丐，正是缺乏自信的表现。然而从纽约商人的一句话中，"推销员"又找到了自尊和自信，并开始了全新的生活，从中可见自信的力量。缺乏自信往往是性格软弱和事业不能成功的关键因素。对此，著名的推销员齐格深有感触。

齐格曾参加过一个在北卡罗来纳州查勒提开办的、由田纳西纳什维尔的梅里尔指导的全日制培训课程。

培训结束后，梅里尔先生把齐格单独留下说：“你有很大的潜力，你可以成为一个了不起的人，甚至一个全国优胜者。我完全相信，假如你真正投入工作，并真正相信自己，你会获得成功。”

说真的，这些话让齐格震惊了。他回忆道：“当我是个小男孩时，我长得很弱小，就算穿得最多时也没超过120 磅。我上学后，自从五年级开始，放学后和周末的大部分时间都用在学习上，对运动方面也不是很积极。此外，我很胆小，直到 17 岁才有勇气和女孩约会，并且还是别人指定给我的一个盲目性约会。一个从小镇中出来的小人物，梦想回到小镇上一年赚 5000 美元，我的理想仅仅如此。现在却忽然有一个受我尊重的人对我说‘你能成为一个了不起的人’。”庆幸的是，齐格相信了梅里尔先生的话，开始像一个优胜者一样思考、行动，把自己当作优胜者，于是，他真的就是个优胜者了。

齐格说：“梅里尔先生并没有教给我太多的推销技巧，可是在那年年底，我在美国一家拥有 7000 多名推销员的公司中，取得了销售业绩第二的好成绩。我的私人车由克莱斯勒车改成豪华小汽车，并且有望获得进一步提升。第二年，我成为全州报酬最高的经理之一，再后来，我成为全国最年轻的地区主管人。”

齐格在碰到梅里尔先生后，并没有学到具体的推销技巧，也不是他的智商提升了 50 点，只是梅里尔先生让他相信自己有获得成功的潜能，并给了他努力的目标和发挥自己潜能的信心。假如齐格不相信梅里尔先生，梅里尔先生的话也无济于事。

每个人都要相信，自己对完成一件事情具有天赋的才能，并且，不管付出多大的代价，都要把这件事情完成。每当事情完成时，你要能够问心无愧地说：“我已经尽力了。”一个人只要有自信，就能成就理想。

强者善于自我激励

芬妮·赫斯特最初来到纽约，要把写作转化为财富。这种转化并没有瞬间成功，但最终还是来临了。有4年之久，赫斯特小姐的足迹踏遍了纽约人行道。她日夜不停地工作并怀抱梦想。当希望日渐渺茫时，她没有这么说："好吧！百老汇，算你赢了！"她说的是："很好，百老汇，你很少被人打倒，但是，那可不是我！我会逼你放弃。"

在她能有一篇故事刊登在周六晚邮报之前，这家报社已退了她36次稿。这要换作别人可能在遭到第一次退稿时，就会选择放弃了。她踩了4年的人行道，因为她下定决心一定要赢。

随后，回报来了。魔咒一下子消失了，无形的向导已考验过芬妮，芬妮也顺利过关了。从那以后，出入她家的出版商络绎不绝。钞票来得飞快，她都来不及数。接着是拍电影的人发掘了她，之后钞票有如洪水泛滥一般向她扑来。

通过某种诱因使人的潜在本能处于激活状态，带动起人的积极性和创造性，让人处于一种有活力的自觉行动的良好状态，因此人的潜力可以被最大限度地发掘。

自我激励就是将上述过程全部由自己来完成，这是人的一种高度自觉性的表现。自我激励就是自我激发、自身鼓励的过程和方法，一言概之，就是自我激励。自我激励是与感性和理性、情感和意志、心理和生理相伴的复杂过程。

卡耐基曾在书中描述过一个贫穷的荷兰移民宝克。宝克省吃俭用攒钱买了一本《美国名人传全书》，他阅读名人的传记，同时写信给可以找到的名人进行求救，比如爱莫逊、勃罗克、夏姆士、浪番格、林肯夫人、爱尔各德、秀门将军和戴维斯，他和他们都通过信。他还和他们中间的很多人见过面。这种经历增强了他的自信心，激励了他的理想与志向，改变了他的人生。虽然他没有受过良好的教育，可是他后来却成为美国新闻界一位最有名的编辑。

这种超出本能取得的成功就是自我激励的神奇作用。

在现实生活中，自我激励的方法有多种，我们要依据自己的实际情况采用不同的自我激励的方法。

1. 读名人传记

你会从他们身上获取力量，增强自己成功的动力。

2. 做自己怕做的事

主要目的是要从中得到一次成功的记录，从而增强你的自信心。

3. 再给自己一次机会

我们应该时刻把这句话挂在嘴边。从周围的事物中重新寻找信心和希望的源泉，激起自己再次奋起的勇气，当我们屡遭挫败或打击时，不妨对自己说“再试一次”。

4. 给失败找出合适的原因

不要自我激励不是盲目的激励，它建立在对自己和客观事物正确了解和估量的基础之上。我们也总是为自己的失败找一些微不足道的客观理由，掩盖自身真正存在的问题，那样你将永远不会取得成功。假如确实因为自己力所不及的某项工作而导致了失败，而自己又很难培养起这方面的能力，这时候不如在这件事上认输，找最适合自己能力特点的事情去做，你依旧会成功。这样，你依然会有自信心。

越自信，你就越能创造奇迹

我们可以尝试一些具体的行动来增强自己的自信。

1. 目标确定之后，立即行动

你也许会怀疑采取行动和加强信念之间的关系。事实上，你的行动体现了你的信念，而且正是你所做的事情反映了你的信念。尽管只迈出一小步，也是在和你身外的世界沟通，这意味着你已经相信自己和自己的理想。

最初，你可能感觉到自己不是很勇敢，也不是很自信。然而，只要坚持不懈地努力，必将产生适应的感觉并变得自信，那种感觉会深入你的内心。每次尝试都会加强你的自尊心和自信心，你再也不会坐等奇迹的光顾。你本身就是奇迹的创造者，随着自信心的加强，你会发现，自己的梦想其实不难实现。

2. 客观评价自己的能力，发掘未被开发的潜力

调查发现，普通人的潜能只被开发了一小部分。换句话

说，我们还远没有达到自身最大的极限，我们体内还有巨大的潜力没被发掘出来，我们拥有更多的能力，可以变成更成功的人……意识到这一点非常重要。

3. 把注意力集中在那些可能性上

你因一些消极的念头而感到苦恼吗？你可以把注意力放在那些可能性上，以此来战胜消极的念头。你可以设想一个具有挑战性的目标，然后对自己说："我怎么可能达到这个目标？它的规模太大了，要完成它实在是太困难了，这是不可能的！"

这些话听起来是不是一点都不陌生？或者很多人都不止一次地为这种自我否定挣扎过。为了改变这种状况，当这些想法产生时，应该立马改变想法："我知道我的目标是能够实现的，因为有人已经证实了实现它的可能性。我下定决心要让它得以完成，我乐意做必要的一切来实现我内心的愿望。"

意识到这两种想法的区别了吗？假如你长时间地纠结在第一种想法上，面对挫折或理想、目标，你就有麻烦了。假如采用第二种思维方式，它就能将你带入一个充满可能性的新世界。当你的心态处于积极状态时，你将会问一些更有意义的问题："达到目标有些什么方法？谁将会帮助我？有没有其他的方法可以使我达到我预期的目标呢？"

4. 消除恐惧和冒险

恐惧是在外在环境做出改变时的自然生理反应。它可能是人们开始尝试任何新事情时犹豫徘徊的主要原因，恐惧促使人们选择生活中原来的模式——安稳、舒心和熟悉的环境。能够意识到每个人在开拓新领域时都会产生恐惧心理是很重要的。但是，成功的人和不成功的人对待恐惧是有所不同的。成功的人承认恐惧，并努力找出产生恐惧的原因，以此决定他们对前进道路上将要面对的挑战做出怎样的应对。他们会决定采取一定的措施，尽量使自己感到充满竞争力和自信心。

为了克服恐惧，我们必须深入探究我们害怕什么。只有找到产生恐惧的根本原因，冒些风险，我们才能真正树立起自信。一项调查研究发现，当问一些年长的人对自己过去的生活有哪些遗憾时，很多人都认为自己最大的遗憾是：自己一直都没有去做自己最想做的事情。这表明萦绕在他们心中的是那些他们想去冒的风险，而不是他们已经冒过的风险。

因此，不要让恐惧留给你同样的遗憾。承认恐惧，做好足够的准备，然后采取行动征服它。

5. 预见成功

萧伯纳说："有些人只看到事情的现况，并问为什么。而我看到的是事情未来可能是什么样并问为什么不呢？"

想象事情未来的模样，不只是要思考，还要积极地了解它。当这种想象过程定向了之后，就是大家所预见的了。在你想成就的事情实现之前预见它，这是众多成功者最强有力的方略，预见的景象让他们再次点燃他们的热情，明确他们的理想，增强他们的信念。

假如你想成为一名出色的演讲家，首先就要想象是站在众多听众的面前，想象着你正在向聚精会神的听众们做有激情的演讲，你的声音是多么的自信和充满活力，人们对你的称赞声不绝于耳。你好像感觉到了听众的热情和对你讲话的感受，就像闻到了主席台上的鲜花的清香，仿佛感受到了玻璃杯内清凉饮料的冰爽。

要产生这样清晰而强烈的感受，想象力是不可或缺的。相同的，当你在向一个目标努力时，全部按照你预想和盼望的那样，尽可能预见你实现它的每一个细节。你将自己的预见变得这么的强烈，以至于当你真正成功时，你会有这样一种似曾相识的感觉。

6. 练习不断肯定自己

我们可以在不经意间反复正面地肯定自己，以培养信念。当你不停向自己重复一个肯定后，最终你会逐渐相信它。

7. 发现相信和支持你的人

当面对挫折的时候，即使你获得了态度乐观的人们的支持，一直保持积极的态度也并不容易。但当你将你的梦想与态度消极的人们联系在一起时，那你必然失败。多数成功人士根本没有空闲与消极的、不支持他们的人接触。

要想把所有的消极的人从你的生活中赶出去，是相当困难的。你的父母、合作伙伴、最好的朋友，还有你的配偶都有可能影响到你。因为这其中的多数人对你有多年的了解，他们可能只会想到你过去的经历，而不是现在的你或是你能成为什么样的人。

可见，有时陌生人的帮助来得容易得多。陌生的人对你能做什么，不能做什么并不知情。每个人都需要有人信任他们，而那些与你关系最为亲近的人可能不是最佳的人选，最主要的一点是你要找到合适的人。

8. 从失败中学习

每一次失败都是有缘由的，找出这些原因你就离成功又近了一点。你可以从碰到的每一个困境中得到相等或更大的收获，一旦你有了这种信念，你就会不由自主地从这种经历中学习经验，而且还能让你充满希望地面对未来。

9. 坚持自己的信念，不盲目服从一切指示

每个人做事情都可以先征求别人的意见，但是最终还得自己决定。假如你不人云亦云，不盲目服从一切指示，那么，你的奋斗就会产生更好的效果。

自己本身才是实现梦想的决定性力量，别人的想法并不重要。当你的梦想激发你的热情，引导你去计划、去执行，直至完成它时，这个梦想就会变成现实。

PART 05

机会就在失败的背后

学会归零思考，把过去留在身后

每天早晨醒来第一件事情先把昨天的一切归零，过去的事物无论怎样都不能重演，能把握的也只有今天。昨日之日不可留，不管过去怎样，终究都是过去。尤其是已经发生过的让人烦恼的事情，我们必须学会放下过去、活在当下。要知道，人是在不断进步的，不丢掉身上的包袱，又怎么能走得更远呢？

老和尚带着弟子去化缘，途经一条流速很急的河流，看见一个年轻的女子对着河流犹疑感叹，于是上前询问。女子答道："这河水太湍急，我无法渡河，希望两位师父能伸出援手帮我渡河。"

小和尚看着自己的师父，脸上露出了有些为难又有些尴尬的表情，他还没来得及解释什么，只见师父背起这个女子就要渡河。不一会儿，师父背着女施主平安到了河对岸。年轻女子对老和尚表示感谢后就走远了，小和尚也跟在后面过了河。

老和尚发现这个时候小和尚的表情很紧张，此时还有微风，但他的额头上却沁着密密的汗珠，便笑道："已经过了河了，刚才的事情就不要再去想了。"小和尚被师父说中了心事，一时之间竟然无以应对。

老和尚要去河边洗手，于是把手中的钵递给小和尚让他拿着，小和尚接钵的时候突然大叫一声，老和尚忙问他发生什么事了，小和尚更是红着脸不知道做何解释。原来就在他接钵的一瞬间由于注意力不集中，险些将师父的钵打碎了。

背女子过河的事情已经结束，老和尚让自己的心又回到化缘这件事情上，但是小和尚在事情过去那么久了还一直放不下。

我们往往会进行自我束缚，让自己深陷在痛苦的情绪中不能自拔，对过去的事情念念不忘，对现在该做的事情又心不在焉，所有的事情都沉重地压在心头，包袱越来越重。对于那些刚刚学步的孩子来说，总是不自觉地将腿往后倒一样，不仅没有前进反而一步步地向后退步。

然而过去的一切，我们已经不能再做出什么改变；而未来如何我们又无法预知，不管怎么想，都是揣测。只有此时此刻，只有现实的今天才是最真实的，因此抓住今天就是最幸福的。

曾任英国首相的劳合·乔治多年来一直有这样一个习惯——无论走到哪儿都会随手关上身后的门。有一天，他和朋友一起散步，走过院子里每扇门乔治都随手将其关上。"为什么你总是要随时把这些门关上呢？"朋友非常不解。

“这件事对我来说有很重要的意义。”乔治耐心地解释，“关上身后的门是我这一生都在做的事情。这件事对我意义重大。当我关门的时候，同时关上的还有过去发生的一切，无论你曾经取得多么辉煌的成就，还是你经历了多大的磨难，只要关上这扇门，你将一切归零重新开始奋斗。”

“关上身后的门是我一生都在做的事情！”这句话包含着深刻的哲理！人的一生，挫折、困难在所难免，多少都会在我们的心中留下印记。昨天出现的错误我们当然需要总结教训，无论你多么的懊悔，对过去的一切都已经于事无补，悔恨也不会让事情有任何改变。如果一个人被过去的包袱压得喘不过气，总是为流逝的岁月感时伤怀，那么他就浪费了最宝贵的今天，并且还将现在与未来一并抛在脑后。所以，将过去的一切归零，卸下包袱，轻松上路。

任何人都有过去，在过去也可能犯下了一些错误。面对错误要有改正的决心，就算你现在没能完全改掉这些缺点，但只要坚持不懈、点滴积累，当扪心自问时你也能无怨无悔。悲伤难过是最没有意义的。

及时地总结经验教训是科学的做法，一味地停留在过去是不可取的。及时将失败和错误带来的不良情绪归零，投入下一步的工作中去，培养积极的思维，用正确的行为纠正那些不合理的举动。

人的回忆不能被随意丢掉，但是也不能时刻被回忆所束缚，成为回忆的奴隶。在心里保留一个小空间，将过往保存在里面就够了，因为，内心更广阔的空间是属于今天和留给未来美好的明天的。

学会逆向思维，寻求反向解决问题的方法

人的思维不是漫无目的的，它会有一定的方向，这里的方向有正反的差异和区别。多数人使用的都是由问题到结果的正向思维。但是很多时候由因到果的方式不能解决面临的问题，这个时候逆向思维就该上场了。

何为逆向思维？就是在目标确定的情况下，从另一个相反的角度重新考虑问题，或者根据自己的目标，去寻找能达到目标所需要的条件，由此推导出解决问题的合适的方法。有的时候固执地用一种方法去解决问题，可能就会变成死钻牛角尖，因为这种方法只会让你和目标背道而驰。这时，我们不妨尝试一下用逆向思维的方式去解决问题。

有一位老妇人的宅子紧挨着一所幼儿园，老妇人准备在那里安然度过他的晚年。有几个淘气的小孩子，课间没事的时候会去踢房子周围摆放的那个垃圾桶。住在这附近的居民都非常痛苦，多次出面制止他们，但是只

能暂时吓跑孩子们，时间长了也就放任不管了。老妇人也是无可奈何不知所措，但这种噪音让她完全没办法休息，她决定一定要制止这种行为。

有一天，又有几个淘气的小朋友用脚猛踢这几个垃圾桶，老妇人径直走过来告诉他们：“你们踢垃圾桶发出的声音让我听了非常舒服，所以，我想请你们帮个忙可以吗？你们能每天按时来踢垃圾桶，那么你们每人每天将会从我这里获得十元钱的报酬。”

听到这样的事情小朋友们当然高兴，他们踢得更加卖力了。这样过去了四五天，老妇人又来找他们，说：“由于现在通货膨胀，我的收入也减少了，所以，我已经不能再给你们那么多钱了，最多只能支付五元。”

小朋友们有些不开心了，但还是勉为其难地同意了，每天勉勉强强来踢垃圾桶，但是明显没有之前那么出力了。

又过了三天，老妇人再次出现了。“孩子们！”她说，“我现在连养老金都没有了，以后给你们的工钱只有一元了，希望你们能体谅我的艰辛和不易。”

“一元钱！”有个小朋友忍无可忍地喊道，“一元钱值得我们这样做吗？简直是白白浪费时间！”正如大家想的那样，这里的居民再也不用受这些噪音干扰了。

如何长期有效地阻止顽皮的孩子不踢垃圾桶，让他们不要制造噪音影响他人呢？严厉的训斥，抑或是苦口婆心的说教？恐怕这些常规的办法都不能收到立竿见影的效果，而强制的命令只会让孩子更加抵触和叛逆。

但是聪明的老妇人就懂得逆向思维，经过“给钱踢——钱逐渐减少——让孩子主动放弃”的步骤达成目标，有效地化解了这个难题，也达到了自己预期的目的。

逆向思维是创造性思维的结果，它可以将不利的因素转化成有利的条件，化压力为动力，非常巧妙地将劣势转为优势为己所用。要想逆向思维一定要敢于打破成规，只有这样才能发现别人看不见的机遇，才能达到自己预期的效果和目的。

◇ 机会就在失败的背后 ◇

刚进入职场，失败是难免的

坚持下去，就能找到成功的途径。

每一次努力都离成功更近一步

在逆境中，要坚定自己的梦想，找到解决问题的途径。

越努力，越成功

永远不要因为失败而放弃了对成功的追求。

换个角度看问题，
不幸正是你另一种机遇

人生有顺境也有逆境，在面对逆境时，我们需要变负为正，换一个角度，你会惊叹由负到正没有你想象中的那么困难。伟大的心理学家阿佛瑞德·安德尔说：“‘拥有把负变正的力量’是人类最奇妙的一个特点。”

让·克雷蒂安是加拿大首位连任两届的总理，但是他曾经左脸局部麻痹，甚至连嘴角都出现了畸形，一讲话就是歪嘴巴，不止这样，他只有一只耳朵听力正常。

无意间听一位医学专家讲到，含着小石子练习发音对矫正口吃非常有帮助，克雷蒂安就尝试着进行练习，每天都不间断，甚至嘴巴和舌头都磨出了血。看着儿子这样，母亲既心疼又心酸，她对克雷蒂安说：“孩子，你不要这样，不管将来怎么样，妈妈都会照顾你。”克雷蒂安擦去妈妈脸上的泪水，坚定地说：“妈妈，飞舞的蝴蝶多美丽，但是它们都要经历破茧成蝶的艰辛过程。所以我要继续练习，成为破茧之后最漂亮的一只蝴蝶。”

终于，努力得到了回报，在长久坚持不懈的努力练习之后，克雷蒂安可以像正常人一样流利地表达。他天性善良，加上勤奋刻苦的努力，以优异的成绩从初中毕业，还建立了非常好的人际关系。

1993 年 10 月，克雷蒂安竞选全国总理，他的对手用他身体的缺陷大做文章，甚至用了侮辱挑衅的言辞：“你们觉得这样的人配当总理吗?”这种没有道德的话引起了选民的愤怒。人们在了解了克雷蒂安艰辛的成长经历之后，更加敬佩这位参选者。在他的演讲中，克雷蒂安诚恳地对选民说：“我要带领我们的国家成为破茧之后最美丽的一只蝴蝶。”结果出来了，他以高票当选总理，并成为第一位连任两届的总理，还赢得了“蝴蝶总理”的美誉。

换个角度去看问题，生活中的不幸也是你的另一种机遇，你能从不幸中找到新的机遇，做到变负为正，在问题中找寻突破点，你也会拥有更广阔的一片天地。

亚当斯·罗克尔是西尔斯公司的董事长，他曾说：“现在有个柠檬必须要你吃掉，吃起来是略带苦味的，我们为什么不把它变成鲜美的柠檬汁呢？”实际上，亚当斯·罗克尔的意思就是面对那些不得不经历的挫折和困难，为什么不换一种思考问题的方式呢？ 也许改变思维方式就可以变负为正。

现实中，挫折和痛苦在所难免，既然这些挫折和痛苦是必须要经历的，为什么不像将柠檬变成柠檬汁那样，换一种思维方式呢？ 我们带着自尊、自信的心理，乐观积极的态度，幸福的生活肯定不会拒绝我们的努力。

英国著名的政治家威伯福斯是身材矮小的人，但是，谈到废除英国的奴隶制度，他功不可没。 著名作家博斯韦尔听了他的演讲后这样说道：“他站在讲台上的确是身材矮小的。 但随着演讲的进行，他正在逐渐变大，到最后我分明看到一个巨人在讲台上做演讲。”弥尔顿双目失明，却写出了美好的诗篇赞美世界；贝多芬双耳听不见，却谱出了振奋人心的命运交响曲；海伦·凯勒自小失明又失聪，但是凭自己的努力和实力屹立于世界文坛。 在旁人看来生活给予他们的都是“负”，但正是因为坚强不屈的意志和信念，他们变负为正，成为生命的强者。

学会变通，就总能找到解决问题的途径

用智慧去变通，你就不会看到“困难”和“挫折”的存在。因为无论多大的困难，只要有了一定的变通之法，都能扫除。

10多年前，李军是某电器公司的业务员。那个时候讨账是公司面临的最大问题。公司的产品质量没的说，市场反应也好，问题就是卖出去之后，总是不能按时收到货款。

有一位大客户下了20万的产品大单，但总是找这样那样的理由推迟付款，公司前后多人去讨账，都是无功而返。公司安排新来的李军和张鑫一起再去讨账。在他们软磨硬泡、软硬兼施之下，那位大客户终于点头了，并且约定两天之后他们来拿钱就是了。

两天以后他们如约前去讨账，得到了一张20万的支票。

他们觉得完成了任务，拿着支票去银行取现，但是到了银行以后才知道，账户的余额是199900元。他们明白了，这是对方故意投机取巧在耍花招，因为这就是一张不能兑现的空头支票。但眼看春节到了，公司都休假，如果再拖下去，这个账单又不知道到何年何月才能理清。

碰上这样的事情，要是常人可能就不知所措回去复命了。李军突然脑筋一转，从自己包里拿出100大钞存到客户公司的账上，巧妙地将199900变成了20万元整。他们马上将支票里的钱取出来兑现了。

拿着20万去公司复命，董事长对他这次的表现非常满意。李军通过自身的努力，五年后被提拔为副总经理，没过几年又成了公司的总经理。

巧用智慧，化解了一个看似没法解决的问题；懂得变通，使得他业绩优异、成绩斐然，当然得到公司的赏识。可以说，变通中蕴含着深刻的智慧和哲理。

世界是瞬息万变的，让人觉得捉摸不透、难以把握。未来怎样谁都不能预知，下一步会发生什么也无从知晓，因此我们也常会陷入进退维谷的境地。为了走出困境，也为了更加顺心如意地生活，根据不同的条件做出变通就是我们的必修课，必须做到一切从实际出发。“万变不离其宗”，以不变应万变，我们才会有更大的空间发展进步。

机会永远藏在失败的背后

有一个从小苦练舞蹈的女孩，当她第一次登上舞台时，表现令人大失所望。于是，她祈求上帝的帮助。上帝对她说："只要不懈努力，总有一天你会成功的。"

经过一年的不懈努力，女孩再次站在了灯光闪耀的舞台上，她以为这次一定会成功，却由于一个小失误只获得了第三名。于是，小女孩又去问上帝："我努力了，可是为什么我还是没有成功，你在骗我吗？"上帝笑道："孩子，你只要学会在失败中总结经验，下一次你就一定会成功。"

小女孩听完上帝的话，回家认真反思了自己的不足之处，又苦练了一年。第三年，她再一次登上了比赛的舞台。这次她表现很出色，却因裁判的徇私而获得了第二名。小女孩因此气馁了，她找到上帝倾诉。上帝这次只说了四个字："磨炼心智。"

小女孩并没有放弃，在第四次的比赛中，她终于站在了冠军的领奖台上。当她想感谢上帝的时候，上帝说：“第一次失败的原因在于你的功底不牢，所以没有获胜。第二次由于你缺乏信心，不能将自己完全放开，因此没有获胜。第三次是为了培养你的耐心，让你不轻言放弃，所以也没让你获胜。最后这次，无论是从实力上还是从心理方面，你都无人可敌，冠军自然非你莫属。你不用谢我，我只是让你一次次地品尝了失败，而你却知道怎样把这些失败变成成功的秘诀。”

人生起起伏伏，失败在所难免。失败本身并不可怕，可怕的是你因为失败而放弃对成功的追求。其实，失败何尝不是一种财富，面对失败切忌灰心，因为一时的失败代表不了什么，它只是暂时的，这次的失败也许正预示着下一次的成功。失败能教会我们如何用更好的方法获取成功。若能从失败的教训中吸取成功的经验，你就一定能获得成功。所以，我们不仅要珍惜成功，同时也要珍惜失败，它带给我们的教训往往比成功带给我们的喜悦更加珍贵。

卡耐基也说过：“成功者与失败者之间的区别在于成功者能从失败中总结经验，并以不同的方式再次尝试。”数学家称失败为“或然率”，科学家称失败为“实验”，普通人称失败为“经验”。在经验中学着成长，也就是在失败中总结经验。如果没有前面一次又一次的失败，就不会有后面的成功。失败并不可怕，可怕的是有些人失败一次便一蹶不振。要想最终获得成功，重要的是你是否能愈挫愈勇、是否有勇往直前的决心、是否把握住了失败这一潜藏的资本。失败是为成功投资的资本，每一次失败都使你离成功越来越近。

成功的秘语只有一个，那就是失败！每个人都一样，都没有太多不同之处。成功和失败的机率也一样。而重要的是失败的次数是不同的，柴田合子让我们知道了：失败越多，成功就越多。正如 IBM 的创建者汤玛士·J·华生爵士所说："如果你想成功，就不要害怕失败，因为这样才能离成功更近。"

失败能够使一个人更加勇敢、意志更加顽强，失败是通往成功的必经之路。如果我们能摆正心态，失败就能成为我们争取成功不竭的动力，同时还可以发现失败背后蕴藏的潜能。别人之所以能够成功，并不意味着他们初次尝试便以成功收场，而是他们懂得把失败当成上帝赐予自己的礼物。若你想有更高一层的突破，那么上帝一定会赐予你必要的考验，让你在克服它之后获得一个更优异的成绩。

有一句话说："障碍与失败是通往成功路上必经的绊脚石。只有肯研究、利用它们，才能从失败中培养出成功。"当上帝为你关上了一扇门，他一定会为你敞开一扇窗，使你在失败的背后寻找到意外的收获。

PART

06

抓住每一次逆转命运的绳索

每次挫折
都孕育着成功的种子

生命中总是会遇到各种各样不可预知的困难，但我们必须相信前途是光明的。成功总是和挫折相伴而生的，所以人要学会在挫折中看到转机和机遇。

有远见卓识的人不会因暂时的困难就悲观难过，在人生的旅程中，他们能看到希望的曙光和美好的未来。因为他们带着希望勇敢地向前进，他们也非常清楚自己脚下的路通向何方。

山里有一位樵夫，他每天砍柴不只是为了养活自己，更为了自己伟大的梦想——建造一间经得起暴风雨洗礼的屋子，能让自己在里面安稳地生活。于是，为了自己伟大的梦想，他加倍努力地砍柴，其他人都不能理解他为什么要这么拼命地去做。

经过一年的努力，他终于成功了，他有了一间风吹不倒、雨淋不湿的房屋，邻居才明白了他的苦心。于是，在狂风暴雨的时刻，他可以不用担心自己会没有地方遮风避雨，他过上了安稳舒适的生活。

这样平静的生活他没享受多长时间。有一天，他到城里交完买主要的柴火后，回到家却发现自己的小屋居然着火了。

邻居都来帮他灭火，但不幸的是傍晚山里风特别大，一时间风助火势，火势根本没办法控制。最后人们也无能为力，眼睁睁地看着结实的房屋在大火中被毁灭。大火终于扑灭了，而原来结实的房屋却化为灰烬。樵夫没有放声大哭，而是拿着一根木棍在废墟中翻找着什么东西。邻居以为他肯定有什么值钱的宝物在里面，因此大家只在边上看着没问他找什么。

过了老半天，樵夫似乎找到了自己需要的东西兴奋地叫出声来："终于找到啦！"

邻居都急急忙忙地围过来观看，没想到樵夫找了半天得到的只是一把斧头，根本就不是大家想的什么奇珍异宝。樵夫信心满满地说："凭着这把斧头，我就有条件建造一个更加结实耐用的房子。"

从此，樵夫还是继续努力地上山砍柴。他用卖柴赚来的钱买了一些阻燃的材质，准备建造新的房子。一年后，他又有了一个更加结实坚固的家了。

一场大火没有让樵夫对生活失去信心，反而拿着斧头继续用自己的双手建造新的家园。从这个意义上说，这也是他最为成功的地方。成功的人不怕困难，更不怕被困难打倒，他们会在困难中站起来坚持不懈地努力，继续为目标而奋斗。

不管是学习、工作，还是生活，我们不能被眼前的困难吓倒；从长远来看，面对目标，如果能坚持最后的决心和信念，就可以迈着坚定的步伐一步步地走向成功。

我们常常说，人的命运往往掌握在自己的手中。掌握自己命运的第一步就是牢牢把控自己的心态，什么样的心态决定了拥有怎样的未来。不管你持有积极乐观的心态还是消极悲观的心态，都会成为影响你实际行为的一个决定因素。如果你安于贫困，贫困最终会成为我们现实中的处境，但是如果你坚信自己会富裕起来，那么富裕也会逐渐变成现实。

每一次挫折和困境中都孕育着转机和希望。积极的心态对我们为人行事有着非常重要的意义。人生短短数十年，只有经历苦痛，才能收获幸福的人生，才不会被困难和挫折压得抬不起头，才能成就灿烂辉煌的人生。坦然地面对生活中的压力和困难，因为它能使我们变得更加强大。

◇ 抓住每一次逆转命运的绳索 ◇

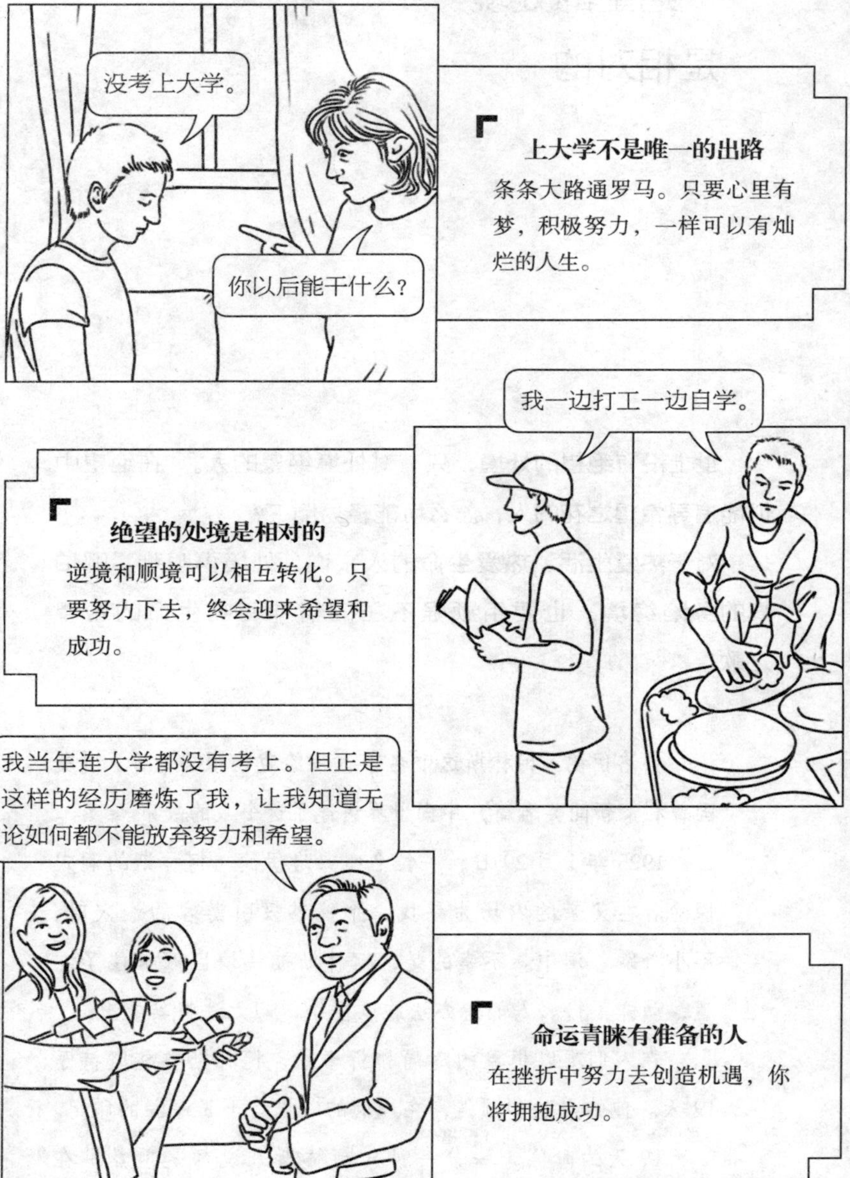

“绝望的处境”是相对的

世上没有绝望的处境，只有对处境绝望的人。 在绝望中仍能追寻希望之花的人，怎么可能轻易倒下？

对于热爱生活、热爱生命的人来说，处境再艰难，哪怕真的身陷绝境，也要用顽强不屈的精神奏响生命的希望之歌！

弗洛伊德·柯林斯这个名字也带给我们很多启示，《美国普利策新闻奖名篇》中向世界讲述了这个人的故事。

1925 年 1 月 29 日，一位名叫弗洛伊德·柯林斯的洞穴探险者在父亲的农场为寻找一个能够吸引游客的洞穴时，不小心跌入洞中。不幸的是，柯林斯被一块巨石卡住了左腿，动弹不得。人们想办法施以援手，却无法将其救出。

在人们难以想象的疼痛和折磨中，柯林斯整整坚持了 19 天。他的勇敢和顽强，在人们的心里烙下了深深的印记。

19 天的时间，一分一秒对柯林斯来说都是煎熬。在黑暗的洞穴里，柯林斯被压在巨石下，仅可容身的小穴如同绳索捆绑着他，他能动弹的只有自己的思维，而孤独、绝望、疼痛及无助，却可以轻易让人崩溃。

当人们想方设法营救这位不幸的落难者时，一位名叫米勒的记者五次深入洞穴，并以细腻的笔触写出了自己亲眼看见的一切，为人们记录下了这位落难者在绝境面前的表现及其内心痛苦与顽强的挣扎。

地面上的每一寸地方都是水，进入洞穴必须缓慢爬行。当米勒试图挤进柯林斯受困的小洞时，“疼——太疼了！”柯林斯恳求米勒放弃这样的努力。柯林斯躺着，向左侧斜着，左脸颊靠在地面上，两只胳膊牢牢地卡在他身边石头的缝隙里，像一位钉在十字架上的受难者。这样的姿势，他保持了19天！

他的脸上盖着一块油布，米勒想动手拿开。“放回去，”他说，“放回去——水！”

米勒这才注意到，水正一滴滴地从顶部的岩面上滴下来，拍打着柯林斯的脸，这持续不断的水滴让他难忍受，是他的弟弟给他带来一块油布。米勒感叹，此情此景，与滴水的刑罚多么相似，再坚强的人也会不寒而栗，而柯林斯竟然坚持了19天！

有一次，柯林斯面对着米勒——这位身高只有1.57米、体重仅54公斤的好心记者，真诚并非调侃地开起了玩笑：“喂，伙计！你最好出去暖和暖和，不要回来了。你这么瘦小，我觉得你没法把我救出去。”

此刻，陷入绝境的人依然乐观，一如既往地关心他人，关心眼前这位来帮助他的瘦小记者。

柯林斯只是要求在他的头顶放置一盏灯。灯光如豆，可是，微弱的光在这位地下探险者的心里，却成为永存希望的火种，成为挑战黑暗环境和冷酷陷阱的象征。即使受困，勇敢的心也不会向灾难屈服。

不幸的是，所有营救均以失败告终。19 天后，柯林斯离去了，这盏灯仍然亮着……

柯林斯离去了，美国一位叫詹金斯的传教士为他写歌纪念——《弗洛伊德·柯林斯之死》。歌词这样唱道：

我们都知道的一个家伙，
脸庞英俊白皙，
心肠热忱而真诚。
他的身躯正在沉睡，
在沙洞中沉睡。

绝境中，柯林斯用自己的生命谱写了一首壮美的希望之歌！在一个人的精神和尊严面前，险境算得了什么！柯林斯面对绝境时所表现出的顽强意志以及对生命的留恋与渴望，每时每刻激励着在逆境中奋斗的人们！听到这首歌的人们，都会鼓起战斗的勇气：是的，这世界没有绝望的处境，只有对处境绝望的人！

以开放的心态
迎接命运的挑战

每个人心里都有一扇窗。窗开了，风自然吹进来，带来阵阵花香，整个屋子都装满了香味。展现自己的内心，大度地接受别人的意见，在和别人交流的时候获得共鸣。

你是否也曾在遇到挫折后，热情和欲望都没有了，并开始害怕失败，逐渐变得孱弱、犹豫、不敢承担责任、不上进、安于现状了？是这些想法阻止了你前进，你被陷在一个圈子中无法动弹。

有时我们会被一些事限制住，但并不是别人阻止我们，很多时候是我们自己束缚住了自己，因为世上没有不可能的事，勇于奋进就能成功。

1940 年，美国一个铁路工人家中，一个黑人妇女生了第 20 个孩子，是个女孩儿，名叫威尔玛·鲁道夫。

这个女孩儿 4 岁的时候，患上了一种疾病。虽然后来治好了，但她的左腿却无法行动，只能依靠拐杖行走。

她的母亲安慰并鼓励她，希望她能够超越自己，战胜磨难。当邻居家的小孩从跟前跑过，她对妈妈说："我希望比他们跑得还要快!"

女孩开始了严酷的训练。功夫不负有心人，长时间的锻炼造就了奇迹！9岁的时候，有一天，她把拐杖丢掉，真正靠自己站了起来。她的妈妈抱着她高兴地流下了眼泪。

13岁的时候，学校举办短跑比赛，威尔玛决定参加。老师和朋友都知道她得过病，运动能力不好，就劝她不要参加。但威尔玛决心已定，老师也只能找她妈妈，希望能够一起劝她。她的妈妈却说："就随她去吧，她的腿没事，我对她很有信心。"

比赛的时候，母亲也来为她加油。威尔玛靠自己顽强的意志获得了100米和200米跑的冠军，整个学校都震惊了，她也因此喜欢上了跑步。

1956年，16岁的她参加了奥运会4×100米短跑接力赛，她所在的团队赢得了季军。4年后，威尔玛又创下了美国田径锦标赛女子200米跑的世界纪录。在这一年的奥运会上，她参加了100米跑、200米跑和接力赛，场场必胜，又一举拿下3枚金牌。

其实，困难并不能阻止我们的脚步，每当我们感到犹豫和怀疑的时候，不妨多看一些强者的故事，敞开心扉，冲破障碍，勇敢地向前迈进，不断地超越，就能向成功靠拢。

命运青睐
有准备的人

拿破仑·希尔曾说过："一个人只有善于做好准备，才更有可能获得成功。"一个人要想战胜挫折、获得成功，准备是必不可少的，若是你准备不足，成功的目标就只能是天方夜谭，因为成功只垂青有准备的人。

欧洲冠军联赛时，足球教练穆里尼奥作为葡萄牙队波尔图的主教练率领球队参加，没有谁会认为他们能够获得晋级决赛的入场券，夺取欧冠冠军就更是痴人说梦了。但最终却出乎所有人的意料，没有一名大牌球员的波尔图，竟然把象征欧洲足球最高荣誉的奖杯握在手里。

不可否认，波尔图的所有队员无论在名气还是实力上，对皇马、米兰等大牌球队的球星似乎都不堪一击，初出茅庐的穆里尼奥和里皮、弗格森相比也是相差悬殊。然而，穆里尼奥却有一件制胜法宝——十分重视准备工作。所有对手近期的每场比赛他几乎都细细分析过，毫不夸张地说，他对每个对手的情况，无论是技术特点、球队风格，还是比赛状态，都烂熟于心，甚至于开赛当日天气、球场草皮的状况都在他的研究范围之内。

最终，到了决赛那天，他所选用的球员、阵形、战术打法无一例外地抓住了对手的软肋，正如他取得冠军之后的发言："如果大家了解我们为了获取最终的胜利而所研究的比赛场次，所耗费的时间以及谋划的方案，就不会惊讶是我们拿到了这个冠军了。"

当时，有相当一部分人认为，是一时的运气造就了穆里尼奥的成功，那些豪门球队对这支没有什么名气的球队缺乏足够的重视和比赛激情，才把冠军的奖杯送到了他的手中。其实，穆里尼奥取得成功并非如此简单，因为没有谁比他的准备工作做得更充分了。是对准备工作的异常重视助他一举登上了欧洲冠军的宝座。

次年，一战成名的穆里尼奥就成为英超球队切尔西的主教练，这里多的是世界级的大牌球员。当穆里尼奥第一次见到这些球员的时候，首先做的就是把随身携带的笔记本电脑打开，开始详细地介绍这些球员的自身特点，从踢球风格、身高体重、进球数，甚至分别用哪只脚踢进了球都没有遗漏。穆里尼奥的执教风格立刻就使这些球星佩服得五体投地。不过，这仅仅只是一道开胃菜，更令他们欣喜的是，主教练用他近乎完美的准备工作帮助他们势如破竹，不断地在后来的比赛中取得胜利。

穆里尼奥率领着切尔西队横扫各类比赛，拿到了不计其数的冠军奖杯。穆里尼奥声名鹊起，获得了很多人的钦佩与信服，但又让许多对手十分厌恶他。他被喜爱者冠以“上帝第二”的美誉，“魔鬼”却是讨厌他的人对他的称呼。那些一系列令人不可思议的成就，不得不让人认真思索个中原因。

如今，欣赏他的人也好，厌恶他的人也好，都潜心钻研穆里尼奥的执教特点。归纳起来有很多，比如，擅长于把球员安排在最适合的位置、合理的临场阵形、积极乐观的心态等，但几乎没有人注意到认真准备对于穆里尼奥获得成功的重要意义。

穆里尼奥的一系列成就，皆与“准备”这项工作息息相关。认真备战每一场比赛，胜利女神也就如影随形。做好充分的准备工作对于任何一个人都至关重要，如果你不把准备工作放在眼里，要想战胜挫折、获得成功会难上加难。

竭尽全力
去做每一件事

许多人遭受挫折时，只是叹气，问他的情况，他也总是满面愁容地说："真没办法，我已经竭尽全力了！"这样看来，真是被逼到绝路，不可挽回了。

其实，很多事情并非如此。你要问问自己：果真任何办法都用过了？真是一点解决的希望也没有了？自己真的倾尽全力付出了？有时只要换一种思路，就会想出办法，从而出现"柳暗花明又一村"的情况。

就拿贷款来说，这是生意人经常要遇到的事，而且通常不那么容易成功，需要多下功夫。有的人按照公司老板的指派，负责办理贷款的工作，只会跟着程序走，先提出申请，然后办理相关的手续，回来后，打一两次电话催问一下，当申请未取得成功时，他就抱怨自己没有银行的熟人，没有关系，称自己已经尽力了，等等。

同样是贷款，当年士光敏夫的做法就大不相同。

"二战"后，他接手日本的东芝公司，这时公司极缺资金，他只好向银行申请贷款。日本战后经济不振、资金紧缺，所以银行负责贷款的部长对他十分冷淡。

士光敏夫知道要想筹到贷款绝非易事，他做好了打持久战的准备。他找到那位负责贷款的部长，详尽地叙述了当下的处境，讲了贷款后会产生的效果，软磨硬泡。他时而如演讲一般，时而又似辩论，即使部长不再理他，他也安静地待在那儿老实守候。就这样，一直磨到下班时间。当他看到部长整理好文件准备走时，赶忙从带来的提包中取出两盒盒饭，对部长说："我知道您很忙，很辛苦，所以特备了盒饭，请您再花点时间与我谈谈，委屈您啦！在您的帮助下使我们公司好转后，将来一定对您感激不尽。"一席话，使得部长哭笑不得。看到他这样执着而坚毅，部长同意给他一些贷款。

另外一件事的道理也与上述故事相同。

稻胜和夫是日本京都陶瓷公司的创始人，通过努力，他得到了松下公司的一笔大订单。但是松下公司的条件非常苛刻，不但对产品质量要求高，而且还要求降低价格。京都陶瓷公司的很多人对松下方面很失望。他们感觉已然无计可施，成本无法再降低了。如果真按松下的价格出货，根本赚不到钱，不如干脆放弃。

而稻胜和夫却不这么看。他想对方虽然苛刻，但我方并没有用上全部精力，一定要想出办法降低成本。于是，他创立了一种“变形虫经营”的新管理模式，把全公司分成了若干个“变形虫”小组，把降低成本的责任落实到每一个底层员工的头上。就这样，人人都为降低成本献计出力，终于再度降低了成本，完成了生产任务，并且创造了很多的利润。这一经营模式就是著名的“阿米巴经营”，被世界各国企业家推崇。

可见，在大家都认为再无办法的情况下，有的人仍然能想出办法，挖掘潜力。

工作和生活中，困难肯定是有的，我们不要随便说已经竭尽了全力，还可能是陷入了原有的思维定式之中，没有能解放出来的缘故。总之，遇到任何事情都要坚忍不拔地去面对，这样才会战胜困难。

PART 07

不要停下追逐成功的脚步

没有一个人的道路是平坦的

成功的道路并非一帆风顺。相反的，这条路总是充满荆棘和泥泞。

14 岁的时候鉴真还只是个小沙弥，刚到大云寺的时候，是寺里的行脚僧，常常要出去化缘。

一天，天已经大亮了鉴真还是没起来。住持便去鉴真的房间里找他。

房门推开的时候，看到一堆烂草鞋摆在床边，住持问："今天不打算去化缘吗？这些破草鞋有何用处？"

鉴真懒散地说："这些草鞋别人穿一年都穿不破，我出家一年了，已经穿破了无数草鞋，我今天想节俭点。"

住持听完以后，笑着说："昨晚下雨了，你先起来，跟我出去散散步！"

昨晚一夜的雨，使得寺前的道路很泥泞。

突然，住持拍着鉴真的肩说道："你要做个撞钟和尚，还是普度众生为人传颂的大师呢？"

鉴真回答道："自然是大师！"

住持笑着说："这条路你昨天走过吗？"

鉴真答："走过！"

住持接着问："那你昨天的脚印呢？"

鉴真感到很困惑："昨天这路还好好的，今天变泥泞，我怎么找得到脚印呢？"

主持沉默地走进泥泞中。走了几步，他停下来问："我刚走了几步，你看到我的脚印了吗？"

鉴真说："看到了。"

住持接着说："嗯，脚印只会留在泥泞的路上！也只有经历了艰辛，才能够有所成绩，就像我们正走在泥路上一样，不论走到哪儿，都会有我们的脚印留在泥土中，证明我们走过。"

鉴真悟道："泥泞的道路才能留下痕迹。"

是的，脚印只会留在泥泞的路上。大家都喜欢一马平川，但是这样的道路难免过于平淡了，只有经历挫折过后的成功，才会让人不停回味。"不历经风雨，怎能见彩虹？"当各种困难接踵而至时，我们只能踏实地走下去，把自己的脚印留下，让它们证明我们的意义。

"罗马不是一天建成的"，成功的背后，都少不了感人的故事。

◇ 不要停下追逐成功的脚步 ◇

绊倒你的可能就是你的机遇

摔倒了就爬起来，不要欣赏砸下的那个坑。

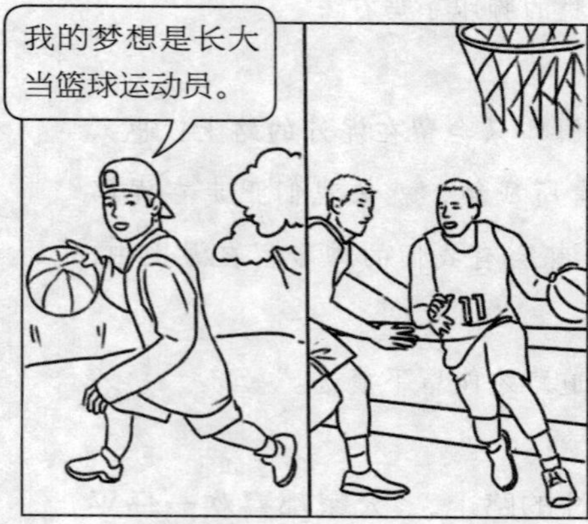

保持激情就可以书写精彩人生

热爱会成为你的核心力量，跟着内心向前走，就能实现自己的梦想。

成功=努力+方法

勤奋与逆境力的结合，才能创造出奇迹。

绊倒你的
就是你的机遇

实现梦想并非易事，我们需要通过努力，不断克服困难，战胜挫折。

有一位法国乡村的普通邮递员，每天为村庄里的人们送邮件。

有一天他不小心摔倒在山路上，发现了一块奇怪的石头，越看越喜欢，就收起了那块石头。

村民们对此都觉得奇怪。

他拿出石头晃了晃，得意地说："你们见过这么漂亮的石头吗？"

村民们摇了摇头："你是捡不完这里的石头的。"但是，他并没有就这样放弃自己的想法——想用奇石建筑城堡。

后来，他的生活改变了。白天，他送信时顺道捡起那些奇怪的石头；到了晚上，他就想办法建筑城堡。所有人都认为他疯了，觉得这是不可能的事情。

过了20多年，他真的建成了一座城堡，可当地人并不知晓。

到了20世纪，这座城堡被一个记者发现了，城堡的建造格局及其周围的风景深深地打动了他，他还为此写了一篇文章。文章发表后，人们都开始关注邮递员和他的城堡，毕加索也前来参观拜访。

现在，这座城堡已是法国著名的旅游景点。听说，那块奇石被放在了入口，上面刻着一句话："我想知道一块有梦想的石头能走多远。"的确，有愿望的石头也可以远行。但是人们自己的梦想却慢慢地被遗忘。

这个繁杂的社会，经历失败并非坏事。没有遭受过失败和伤害，思想也不会成熟。有时，就是有了失败我们才会更努力去完成梦想。

没有目标的人，跟在海上随波逐流没有动力的船一样。罗杰遭受过严重的伤害，然而他知足常乐。在他看来，每一天都充满了新的挑战和目标。

生活中，我们要清楚每天要做的事，否则注定无所作为。定下目标后，就要坚持不懈，合理规划，努力行动，保持正确的方向，一一实现目标。在实现梦想的过程中，只要发现危机，遭遇险阻，我们就要重新规划目标，如此方能实现目标，打造美好未来。

再试一次就能跨过失败的沼泽地

我们身边，很多人失败的原因不在于智慧不足，在于他们无法勇敢地去面对困难。

有时候，处境并不绝望，是自己丧失了信心，一定要抱有“就算只是一颗尘埃，也要有信心成为珍珠”的决心，只有这样我们才能成功。

有一个贫穷的青年，囊中之资不够买一件西服，但他依然怀着自己想要成为明星的梦想去了好莱坞。当时好莱坞一共有500家公司，他按计划把名单逐一排列，拿着自己的剧本依次拜访，但没有一家电影公司愿意录用他。

他没有放弃，又开始了第二轮的拜访，同样无果。他又进行第三轮。当找到第350家公司的时候，老板终于同意他留下剧本。他感到十分兴奋。没过多久，这个老板就约他到公司详谈，决定投资开拍这部电影，并让他演男主角。电影的名字叫《洛奇》，而这个年轻人，就是史泰龙。

古语有云“绝境逢生”，大部分时候，有的东西看似无法解决，然而只要坚持就会有转机。

人常说“留得青山在，不怕没柴烧”，只要我们时刻保持信念，碰到艰难险阻都不绝望，付出了汗水和泪水之后，忘掉悲伤重头来过，绝望之时便是希望之时。如果你自己都放弃了自己，也不再努力了，才是彻底的绝望。

因此，不管面对怎样糟糕的境地，别把一切想得太糟糕。多多地鼓舞自己，再做一次尝试也许就能走出困境。多给自己一些机会，你才能从生活中获得更多的机会。

让成功欲成为自己巨大的内驱力

人总是在求得生存之后才考虑发展的问题，因此，人们对生理、安全的需求高于爱和尊重的需求，只有这四个层次的需求得到满足后才考虑实现自我。

有的人因为无法得到初级需求的满足，也许就不会有高层次的追求。但是，对于成功而言，高层次的需求促使大成就，低层次的需求只能对小成功有帮助。生活环境类似的情况下，有些人成就大，有些人成就小，有些人碌碌无为。许多人为了宏伟的目标，承受着各方面的压力，也有的人虽有目标，却往往不能经受住太多的挫折。

这是为何呢？关键在于他们的内心需求不同。简而言之就是越渴望成功，其内在驱动力就越大；相反，一个人的需求若是不大，其驱动力就很小了。

1921 年 8 月，一个 39 岁的美国中年人竟然得了脊髓灰质炎，俗称小儿麻痹症，双腿无法活动，肌肉不能伸展，臂部以下也都无法动弹。他的家人和朋友都沉浸在绝望中，医生也认为他能保住性命就不错了。但他没被命运吓倒，他不相信这种病可能击倒自己。

他常常练习，让四肢运动起来；为了磨炼顽强的意志，他让家人围观他与小儿子的爬行比赛，每一次他都爬得很辛苦，汗流浃背……那时围观的人们都预想不到，十几年之后，他会成为美国第37届总统，坐着轮椅去上任。他就是唯一一位能够连任四届美国总统的罗斯福。

由此可见，对成功的高层次的需要产生的力量是巨大的，强大的成功欲会推动你前进，你才可能到达成功的顶峰，将生活彻底改变。

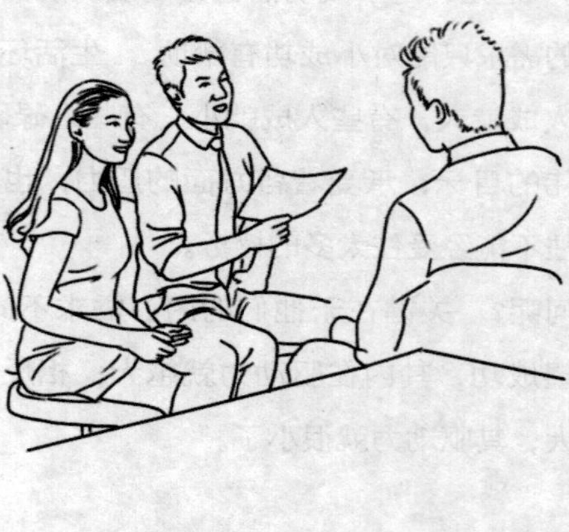

打好自己的人生之牌

有四个人一起打牌。他们定下规矩：谁先出完牌谁就能赢。任何人可以选择在接牌之后放弃，但是，一开始选择弃权的并不一定是输家，最后出完牌的人才算输。

揭牌以后，四个人的表情都不一样。甲看着别人，乙毫无反应，丙则喃喃自语，而丁面带微笑。

甲想了想，就扔下牌，他决定弃权。因他觉得自己没有可以压阵的王牌，串牌也没有，看看其他三个，他想：别人的牌不一定比他好，不如求保险做第三名。

现在，只剩三个人在打牌了。丁连着出了几个小牌，乙和丙都没跟牌。

当丁接连出完手中所有的牌之后，手握好牌的乙和丙都不敢相信，丁的牌远没有他俩的好，但他俩一直等着，结果却等来了失败。

最后把四个人的牌展示出来，丁手里的牌是最烂的，可他却成了赢家。实际上人生也是如此，令人吃惊的结果也是常有的。有时候满手坏牌，竟然打赢了，谁能说这全是因为运气？如果甲大胆一些，乙果断一些，丙不要太依赖经验……我们总爱说“假如”，假如之前这样或那样，自己也会成为赢家。输牌总有各种各样的借口，然而自己拿到坏牌的时候是否能够镇定？有没有把坏牌打好的决心？能否冲破困境？

人生即是牌局，你拿着好牌不见得有好结果。看着手上的牌，我们总羡慕别人的牌比较好，因此心里总有疙瘩。当摊牌之后才知道，他的牌比我的更烂！然而别人已经获胜了。

人生即牌局，难以捉摸，输赢到最后一刻才见分晓。也许你觉得自己本来会赢却输了，觉得自己会输反而又赢了。牌的好坏并不能决定胜负，要看打得怎么样。

在人生道路上，大家都在黑暗中起舞，跌倒后又爬起，每一个前进的步伐都很艰难。当遇到困境之时，我们只有坚持下去，也许胜利就在不远处。

生活难以捉摸，谁都有可能拿到坏牌，这些都是难以避免的。这些也许是一种打击，但并不是说一切已成定局，其实，就算满手都是坏牌，只要镇定些，我们也有成功的希望。

决定一个人的发展并不在于牌的好坏，而是他敢不敢坚持打下去，因为，在离成功不远处时，很多人都放弃了。

在挫折面前，强者会越来越强，战胜困难。假如只盼望着救世主，只能等来失败的下场。靠自己的努力，我们也可以克服困难。别怕自己条件不好或困难重重，只要坚持，就可能成功。

PART 08

勇于挑战，成就人生梦想

跌倒了
要有勇气站起来

有时候，我们没有把事情办好，并不是因为缺乏实力，而是缺乏一种精神，一种“永不言败”的精神。

有一个少年立志做个律师，他写信给林肯，希望林肯给他一些建议。

林肯在回复他的信上说：“如果你已经下了决心想做律师，那么你已经成功了一大半了……所有成功秘诀中，决心就是最重要的条件。”

林肯深知这个道理，所以他一生都是这样做的，虽然他在学校读书的时间加起来也没有一年，但他特别喜欢看书。有一次，他从家里走到50千米外的地方去借书，到了晚上，便在小木屋中燃起了柴火，借着火光读书。第二天一早醒来，揉揉眼睛继续阅读。

他常常走二三十千米之远，去听名人演讲，回来后便私底下揣摩一番；他常常向杂货店的老板演说，他曾加入学术辩论会，将每天的事件作为练习演说的题目，不断反复练习。

曾经害羞的心理常困扰着林肯，尤其是在女性面前，他会羞涩得讲不出话来。他在追求玛丽小姐时，经常默坐客厅一隅，找不出话来谈，只是听玛丽小姐一人说话。而在葛底斯堡纪念烈士大会上和第二次总统就职时，林肯缔造了演说史上无与伦比的不朽纪录。

在白宫的总统办公室里，悬挂着一幅林肯的肖像，罗斯福总统说："我碰到犹疑不决的事，便看看林肯的肖像，想象他处在这一个情况下应该怎么办，也许你会觉得好笑，但这是使我解决一切困难最有效的办法。"

你为什么不去试用一下罗斯福的办法呢？如果你在办事的时候碰到了困难，请不要气馁，你可以想一下，当年的林肯要比你困难得多！林肯竞选参议员失败后，他告诉他的同伴说："即使失败10次，甚至100次，我也决不灰心放弃！"

著名心理学家詹姆士有一段名言，希望你每天清晨都诵读一遍——"年轻人不必烦恼自己所受的教育会落空，不论你做什么事业，只要你忠于工作，每天都忙到累了为止，总有一天清晨醒来，你会发现自己是全世界能力最强的人。"

有些人在与他人比较后，沮丧到极点。殊不知，这完全没有气馁的必要，因为人是借着失败才能茁壮成长。

跌倒并不可耻，可耻的是跌倒了却没有勇气再站起来。

我们要学习小草的精神，任凭风吹雨打，也要挺直腰杆、屹立不倒。给自己多一点鼓励，必能无惧于狂风暴雨，终会有拨云见日的一天。一句话：永不言败，万事好办。

◇ 勇于挑战，成就人生梦想 ◇

越努力，人生越精彩
不断突破自我，成就人生梦想。

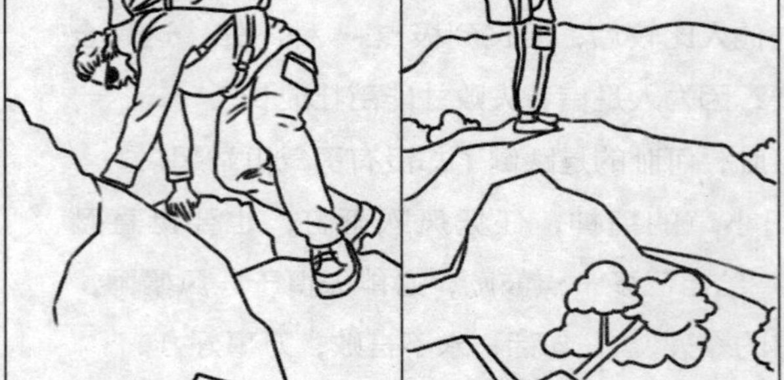

奇迹多是在对逆境的挑战中出现的
世界上最美的风景，都在无限的高峰上。只要敢于挑战，就有希望看到最美的风景。

精神不倒，
就不会被困难压倒

也许，因为缺少行路的经验，或者是路途凶险，在中途，在你急于赶路的时刻，你却倒下了。这仿佛是命运，任何人都无法回避。

在你极不情愿选择匍匐这种姿势时，你的眼睛不能闭合，你的方向不能迷失，不该忘却为什么来这里。你要把经历苦难作为小憩，为与命运搏击积蓄力量。

一位精神病博士曾经在纳粹集中营中被关押了很多日子，饱受凌辱。他就是维克多·弗兰克。

弗兰克曾经绝望过。这里只有屠杀和血腥，没有人性，没有尊严：那些持枪的人都是野兽，他们可以不眨眼地屠杀一位母亲、儿童或者老人。

他时刻生活在恐惧中，这种对死的恐惧让他感到一种巨大的精神压力。集中营里，每天都有因此而发疯的人。弗兰克知道，如果自己控制不好自己的精神，他也难以逃脱精神失常的厄运。有一次，弗兰克随着长长的队伍到集中营的工地上去劳动。一路上，他总是在想：晚上能不能活着回来？是否能吃上晚餐？他的鞋带断了，能不能找到一根新的？这些想法让他感到厌倦和不安。于是，他强迫自己不想那些倒霉的事，而是刻意幻想自己是在前去演讲的路上。他来到了一间宽敞明亮的教室中，精神饱满地在发表演讲。

他的脸上慢慢浮现出了笑容。弗兰克知道，这是久违的笑容。当他知道自己还会笑的时候，弗兰克就知道，他不会死在集中营里，他会活着走出去。当他从集中营被释放出来时，显得精神很好。他的朋友们难以相信，一个人竟可以在魔窟里保持年轻。

这就是精神的魔力。有时候，一个人的精神可以击败许多厄运。因为对于人的生命而言，要存活，只需一箪食、一钵饮足矣。但既要活下来，又要活得精彩，就需要有宽阔的心胸、百折不挠的意志和化解痛苦的智慧。

大诗人享雷曾说过：“我是自己命运的主宰，我是自己灵魂的舵手。”这是一句至理名言，它的意思是说，意识的力量是无穷无限的，我们能控制自己的意识，就能掌握生命的节奏。

当你匍匐的时候，那曾让你热血冲动、充满希望的目标也正在远方闪烁。而它，却永远也不会自动靠近你一步……

此时，你除了跃然而起，没有什么别的选择。

记住：匍匐是跃起的准备，跃起是匍匐的升华；匍匐是相对静止，跃起是形神的奋发！

把每块肌肉的力度凝集起来，把束缚和痛苦抛出去。手肘坚毅地推开泥土，双脚猛力地蹬向土地。身体在地平线上一寸寸上升，因匍匐而缩小的视野就会一轮轮放大。

也许动作太急切，你会伴着呻吟重新倒下，但只要执着尝试，终会有一次最坚实、最壮观的如日东升般跃起……

在许多情况下，我们都反复经历着跌倒了再爬起来的过程。其实我们无须气馁，只要我们的精神不倒，就不会被困难压服。

也许我们攀登了一世，依然没能登上顶峰。但是，失败的未必不是英雄。因为，我们不必太在意结局。只要奋斗了，就问心无愧！

勇于突破自我
才能走出困境

你只要按照自己的禀赋发展自己，不断地超越心灵的绊马索，你就不会忽略了自己生命中的太阳，而湮没在他人的灯光里。

我们每个人在通常情况下都很容易被一时一事所困，陷入不能自拔的境地，一时间眼前一片暗淡，从此看不到希望和光明。

自我，往往就是一种长期形成的习惯，并被这种习惯紧紧束缚着灵魂的故我。一个人如果不能突破这个故我，那么他就会在自设的“固执”的陷阱中不能自拔。一个人如果被故我完全封闭起来，那么，他就成了一头拉磨的驴子，被圈定在磨道不停地转圈子，再也不能成为一匹天地间呼啸向前的骏马了。

德国作家莱辛的故事，你可曾听说？

莱辛年轻的时候曾非常喜欢拉封丹的寓言，喜欢他寓言中那华丽的叙述和铺陈，喜欢他寓言中那小巧的诗意的装饰，所以，拉封丹的作品模式无形中就成了他创作的囚笼。因此，他常常为自己不能写出像拉封丹那样美丽的寓言而心中充满烦恼。

有一次，他躺在一个瀑布旁边，努力给自己正在创作的一篇童话寓言加上像拉封丹那样华美的诗意装饰。可是，他冥思苦想，斟酌推敲，最终却毫无所获。

迷蒙之中，他突然看到寓言女神出现在他的面前，微笑着对他说道："学生，干吗要这样吃力不讨好呢？真理需要寓言的优美，可寓言何必要这种和谐的优美呢？你这是往香料上涂抹香料啊。寓言只要是诗人的发现就够了。一位不矫揉造作的作家，他讲的故事应该和智者的思想一样才对。"说罢，女神消失了。

原来，他做了一个短暂的梦。然而，寓言女神的话却深深地触动了他的灵魂，从此他突破了自我，他的寓言更注重故事的简练和智者的思想与发现。终于，他成了一个有个性和独创精神的伟大作家，成了一个努力地把自己的寓言写成"神圣幻象的神谕"的人。

这个故事虽然说的是作家的写作，可拿它来套用我们的生活却很贴切。

其实，我们往往不能突破的就是自始至终遵循的某种生活模式。生活模式的突破也就是一种自我的突破，当你陷入一种困苦的境地时，在你的内心里，如果首先突破了自我，那么任何一种不幸和打击对你的伤害就不会那么深重了。由此可见，只有首先点亮自己心中这盏灯，才不至于迷失方向，在苦难和困境中才能为自己另寻一条出路。

每一个人都应该明白这样一个道理：只有不断超越自我的人，才是一个真正的聪明人。

人生在世，每个人都有自己独特的禀性和天赋，不要因为一时的遭遇而永远陷自己于烦恼之中。要勇于突破自我，走出困境，才能真正寻到实现人生价值的切入点。

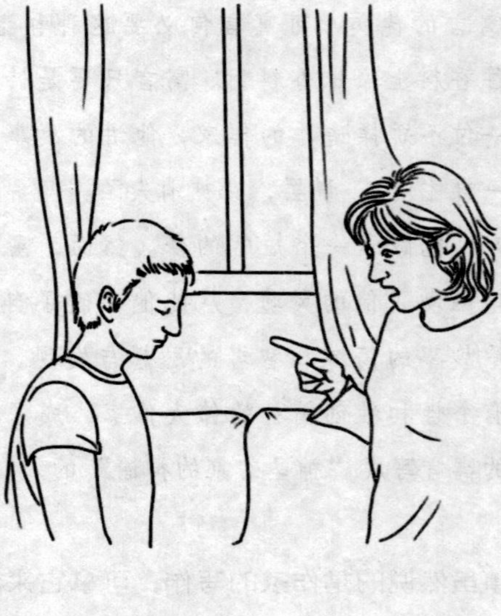

战胜恐惧，就能步步向前

只要有勇气与信心，从心态上战胜恐惧，你就可以步步向前，迈向光明。

可以这样说，恐惧是人类最大的敌人。它不仅能夺去人的幸福与能力，使人变为懦夫，还能摧残人的创造精神，足以杀死个性而使人的精神机能趋于衰弱。

一个人，一旦心怀恐惧的心理、不祥的预感，则做什么事都不可能有效率。恐惧导致了人的无能与胆怯，是人类文明事业的破坏者。

因此，要拒绝你的恐惧，不要让恐惧深入你的心中，不要往恐惧的方面想。一旦有了恐惧心理，你应当立刻拿出勇气来与它对抗，恐惧便会立刻逃走。

一个黑人小女孩就用勇气战胜了恐惧。在马里兰州的一座种植园里经营着一间磨坊，那里住着一家黑人。有一天，黑人家里的一个10岁的小女孩被遣到磨坊里向种植园主索要50美分。

园主放下自己的工作，看着那个黑人小女孩敬而远之地站在那里，似乎若有所求。于是他便问道："你有什么事情吗？"黑人小女孩没有移动脚步，回答说："我妈妈说想要50美分。"

园主用一种可怕的声音和斥责的脸色回答说："我决不干那种事！你快滚回家去吧，不然我用锁锁住你。"说完便继续做自己的工作。

过了一会儿，他抬头时看到黑人小女孩仍然站在那儿不走，便掀起一块桶板向她挥舞道："如果你再不滚开的话，我就用这桶板教训你。好吧，趁现在我还……"话还没说完，那黑人小女孩突然飞快地冲到他面前，扬起脸来用尽全身的气力向他大喊："我妈妈需要50美分！"

慢慢地，园主将桶板放了下来，手伸向口袋里摸出50美分给了那个黑人小女孩。她一把抓过钱去，便像小鹿一样跑出去了。留下园主目瞪口呆地站在那儿回顾这奇怪的经历——一个黑人小女孩竟然镇住了自己。在这之前，整个种植园的黑人从未有过这种行为。

这就是勇气的力量。因此，当不祥的预感、忧虑的思想在你心中发作时，你不应当纵容它们逐渐长大。你应该拿出勇气与它们相对抗，想到种种与它们相反的方面去。如果你在担心着自己的事业，你就不应当想到你自己是怎样弱小无能、怎样不堪重任，这样你准会失败。你应当尽量想着你自己怎样强、怎样有本领、怎样利用过去的经验应付现在的问题，怎样预期得到成功的胜利。

PART

09

信念越坚定，人生越成功

坚持
是成功的基石

谁都知道，有些事坚持到最后就可能胜利。 但是，现实中很少有人能做到。 即使是很小、很容易的事情，一些人也容易放弃。

古希腊的著名哲学家苏格拉底曾给学生出了一道试题。试题很简单，要求所有学生将各自的手臂先尽量向前甩，然后，再尽量向后甩。他问学生能不能每天如此甩动手臂300下。

所有学生都答道："能!"因为大家都觉得这么容易的事，谁会做不到呢?

过了一个月，苏格拉底询问他们的练习情况，结果，90%的学生做到了。两个月后，苏格拉底又问情况，此时只有80%的学生在坚持。

一年过去后，苏格拉底再问学生。这时，所有学生里只有一个人依然坚持不懈，他就是后来成为著名哲学家的柏拉图。

有人会说，这事例太特殊了，但现实中这样的例子还有很多，比如搞发明，有谁是一次就成功的呢？ 不少科学家都经历了很多的失败，一次一次地重来，没有长期的坚持，哪能取得最后的成功呢？ 商业经营亦是如此。

一个人开餐馆，位置不太优越，又由于刚开张，没做什么宣传，开始时顾客非常少。每到用餐时间，见到餐馆里没什么顾客，他真是心急如焚。一个月后一结算，不仅没有赚到钱，反而亏了本。看到这种不景气的状况，他失去了信心，便想把餐馆转让出去。就在这时，妻子让他坚持，因为她觉得餐馆的有些菜肴还是很有特色的，而且价位合理，只要坚持一段时间，肯定会有回头客，绝不会亏损。妻子的想法果真没错，几个月后，他的餐馆因为口碑好而顾客越来越多，后来还扩大了门面。

哲人柏拉图说得好：“耐心是智慧的基石。”这是他自己的心得与体验，也是至理名言。

荀子说得好：“锲而舍之，朽木不折；锲而不舍，金石可镂。”雕刻东西时，若你半途而废，那么即使材料是朽木，也难雕刻成功；相反，只要你坚持不懈地雕刻，那么即使材料是金属和石头，你也能雕刻成功。 因为锲而不舍，坚持到底，必定成功。

◇ 信念越坚定，人生越成功 ◇

磨难是上天赠予你的礼物

经过困境，你的生命会更加强大。

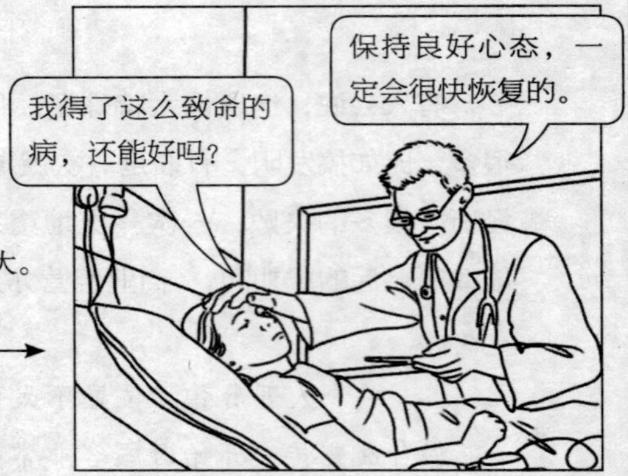

没有什么比坚定信念更能帮助你

只要你具备了坚强的意志，困难就会自动退走。

坚定的信念是人生永不熄灭的明灯

在遭遇生活打击时千万别消沉下去，只要坚定信念，就能走出困境。

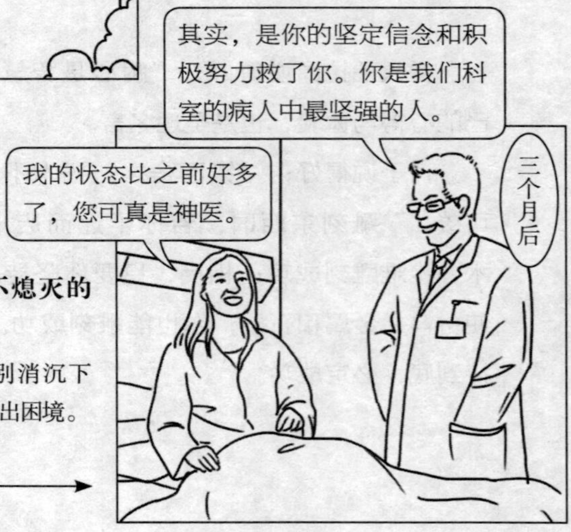

坚定的信念是人生永不熄灭的明灯

在人生的旅途中，我们可能会丧失机遇，可能会丧失金钱，也可能得而复失、失而复得。很多人在遭遇这样或那样的打击时会从此消沉下去，失去奋斗的信念和动力。只要我们没有丧失信念，希望就在前方。信念是人生的希望，信念是人生的航灯。只要坚定信念，你就会有所建树，人生就会丰富多彩。

一艘远行的航船在大海中遇上了突如其来的风暴，沉没了，同行者大多死去。一个生物学家侥幸获得了一个小小的救生艇而幸免于难。但是，巨大的风浪时刻想吞噬小船，小船如同叶子一般被吹来吹去，他在大海中迷失了方向，赶来援助的人也没有找到他。

天渐渐地黑了下来，生物专家已经饥寒交迫了。然而，他除了这个救生艇之外，一无所有。他此刻正命悬一线，稍有闪失，就会丢掉性命。他无助地望着天边，忽然，在茫茫黑暗中他看见了点点亮光，他高兴得几乎叫了出来。于是，他奋力地划着小船，向那片灯光前进，然而，那片灯光似乎很远，天亮了，他也没能走到亮光处。

然而，他没有因此而悲伤绝望，继续艰难地划着小船，他想，那里既然有灯光，就一定是一座城市或者港口。生的希望在他心中燃烧着，他信心十足，心态轻松。

三天过去了，饥饿、干渴、疲惫更加严重地折磨着他，他多次处在崩溃的边缘，但只要一想到远处的那片灯光，他又陡然增添了许多力量。就这样漂泊了四天，他依然在向那片灯光划着，即使将要昏迷了，在他脑海中依然闪现着那片灯光。

晚上，他终于被一艘经过的船只救了上来，后来大家都难以相信，他已经不吃不喝在海上漂泊了四天四夜，当有人问他，他是怎么熬过来的，他指着远方的那片灯光说："是那片灯光给我带来了希望。"大家望去，根本就没有灯光，那只不过是天边闪烁的星星。

在生命的旅途中，挫折随时会降临。这时，只要我们心中有一个坚定的信念，并努力地去追寻，胜利的号角终会吹响。这就像在大海中航行时，找准航标灯，努力地向它进发，你就能找到生命的航向。

成功需要
坚定信念负重前行

每个人的梦想都很美好，每个人都想获得成功，但结果总是不尽如人意。有的人成功了，有的人失败了，有的人只实现了部分目标。原因因人而异，其中一个较普遍的原因就是下的功夫不够，有些人往往是浅尝辄止。

众所周知，在有地下水之处，只要打井就会出水。但是，地势不同，打井的深度也不一样。有的水层浅，不到10米就有水；有的水层深，挖到17米深也没有水。如果你只是浅挖，没有见到水，就认为没地下水，不再往下深挖，那自然就错了。

在科研上常有这种情况，一次次的失败，事实上正在激励你朝目标前进，如果你这时认为根本没有成功的可能而断然放弃，那么常常会失败。如果准备得更足一些，下的功夫更深一些，那就很可能会成功。

19世纪德国有位著名画家叫门采尔，他勤奋刻苦。

一生中，他从不间断地作画，画了上千张素描、上万张速写，而且他创作时极其认真，有的作品从构思到完成，要花几年时间。正因为这样，他在画坛上很有威望，作品一上市就被抢购一空。

当时有个青年画家，画得很快，并以此向人夸耀，但他的作品鲜有人问津。为此，他很苦恼。

一日，青年画家专门去拜访门采尔，向他请教销售画作的诀窍。青年画家抱怨说："先生，我一天能画一幅画。可卖起来就难了，有时一幅画要用一年的时间才能卖出去。"

门采尔听完就笑了，他对年轻人说："小伙子，你可以反过来尝试一下：用一年的时间好好地画一张画，那么你一天就能卖掉它。"

创作是这样，让梦想变成现实也是如此，它应该是一个艰苦努力的过程。只有功夫深，你才能创作出精品，才能开拓出不一般的局面。众所周知的"铁杵磨成针"的故事，说的就是要多下功夫的道理。对于成功不能操之过急，功到自然成。没有一定的积累和功夫，往往很难成功。

当然，每个人都必须坚定信念，但这绝不是盲目的，而要建立在刻苦努力的基础上。

破釜沉舟，奋勇向前

恺撒在掌权以前是一位优秀的军事将领，有一次，他奉命带领舰队前去征服英伦诸岛。

他在出发前检阅舰队时，才发现一个严重的问题。随船远征的士兵人数少得可怜，并且武装配备也破旧落后，以如此军力若想打败骁勇善战的土著，无异于自取灭亡。

但恺撒当下还是决定启程，驶向英伦诸岛。舰队到达目的地，恺撒等所有士兵悉数下船后，立马命令亲信部属烧毁所有的战舰。同时，他集合全体战士训话，明确地告诉他们，战船已经烧毁，因此大伙儿只有两种选择：一是勉强应战，假如打不过勇猛的敌人，后退无路，就只有被赶入海中喂鱼；另一条路是，抛弃军力、武器、补给的不足，勇往直前，拿下该岛，那么所有人都有活命的可能。

士兵们个个怀有必胜的决心，最终打败强敌，而恺撒也因为这次成功的战役，为日后掌权打下了基础。

在中国古代也有类似恺撒这种“破釜沉舟”，颇具领导智慧的故事。

多数人在开始做事的时候常常给自己留着一条后路，作为遭遇挫败时的退路。这样怎么有可能成就伟大的事业呢？

破釜沉舟的军队才能兵到必胜。同样，无论一个人去做什么样的事情，一定抱着绝无退路的决心，勇往直前，遇到任何困难、障碍都不能后退；假如意志不坚定，时时准备知难而退，那就永远不会有成功的一日。

拥有坚强意志力的人，碰到任何障碍，都能攻克、排除；但意志薄弱的人，一碰到挫折，便想法退缩，最终归于失败。现实生活中有许多青年，他们很希望上进，只是缺乏强大的意志力，没有坚定的信念。不拥有破釜沉舟的信念，是很难成功的。

许多人成功的原因就在于他能够集中精力于他所努力的目标上。为了达成目标，他能抛开一切与成功不相关的事物。所以，我们不妨借鉴恺撒大帝火烧战船、断绝后路的方法，以此激励自己要竭尽全力。

只要坚定信念，终将创造生命奇迹

平时，人们一谈到成功，就会认为那是高学历者的事情。事实上，这种观点很不全面。学历高，知识丰富，有专门的技能，成功的机会自然要多一些，但成功并不是一定在这种情况下才会取得的。

一位来自云南某县的农民，刚 30 出头就成了一位成功者。1995 年他从职业高中毕业后，成了一家蔬菜公司的送菜员，一年后，他被调到蔬菜大棚种植蔬菜。他喜欢研究种植技术，并经常求教于他人，因而有了一定的种植经验。然而，在激烈的竞争中，他所在的公司倒闭了。2001 年初，他下了岗，无可奈何地回到了家乡。

但是，他并没有因为失业而消沉。他想起当年曾为一些西餐厅送过生菜，如今公司倒闭了，他们从哪里进货呢？如果我在农村也种植这种生菜，那么这种天然的种植一定比大棚种植更好。

他深知种菜也会有风险，但是，他决定冒险一试。经过考虑，他认为个人力量太薄弱，难以形成种植规模，因此鼓动亲朋好友都来种植。当人们向他咨询时，他又来了灵感：如果组织农民种植，自己负责收购营销，再到市场上挣个差价，那么这个机会一定会非常好！这么一想，他就找到从前认识的一位菜贩，并与他合作。菜贩听了，很赞同他的观点。他们筹集了3万元，成立了一家蔬菜公司，并与一些农户签了合同，建立了50亩生产基地，菜贩和他分别负责市场营销和种植技术。然而，美梦没能成真。头一回进入市场他们就惨败而归，由于当时的生菜供过于求，所以价格很低，他们的3万元几乎赔光了。

让人欣慰的是，他们没有泄气。他们总结教训，思考对策，觉得不能再在市场上瞎碰，而应该开辟销售的固定渠道。于是，他们瞄准西餐厅，一家一家地推销。功夫不负有心人，一家美国公司开始重视他们，该公司负责向麦当劳供应原料。广州公司的总部在派人考察之后与他们签订了合同，月供货量为20吨。还不到两年的时间，他们的种植面积就扩大到了700亩，月供货提高到150吨，年收入突破了50万元。

只要坚定信念，并踏踏实实地为实现自己的梦想坚持不懈地努力，梦想终将变成现实。

PART

10

走自己的路，让别人说去吧

走自己的路，让别人说去吧

真正成功的人生，不在于成就的大小，而在于你是否努力地去实现自我，喊出属于自己的声音，走出属于自己的道路。

“走自己的路，让别人说去吧!”对但丁的这句名言，我们并不陌生。不过，我们在生活中是否要信奉它、实践它呢?

答案是肯定的。

贝多芬学拉小提琴时，技术并不高明，他宁可拉他自己作的曲子，也不肯做技巧上的改善，他的老师说他绝不是个当作曲家的料。

发表《进化论》的达尔文当年决定放弃行医时，遭到父亲的斥责：“你放着正经事不干，整天只管打猎、逗狗、捉耗子。”另外，达尔文在自传中透露：“小时候，所有的老师和长辈都认为我资质平庸，我与聪明是沾不上边的。”

苏格拉底曾被人贬为“让青年堕落的腐败者”。

美国职业足球教练文斯·伦巴迪当年曾被批评“对足球只懂皮毛，缺乏斗志”。

爱因斯坦4岁才会说话，7岁才会认字。老师给他的评语是：“反应迟钝，不合群，满脑袋不切实际的幻想。”

牛顿在小学的成绩一团糟，他曾被老师和同学称为“呆子”。

罗丹的父亲曾怨叹自己有个白痴儿子，在众人眼中，他曾是个前途无“亮”的学生，艺术学院考了三次还考不上。他的叔叔曾绝望地说：“孺子不可教也。”

《战争与和平》的作者托尔斯泰读大学时因成绩太差而被劝退学。老师认为他“既没读书的头脑，又缺乏学习的兴趣”。

……

试问：如果这些人不是“走自己的路”，而是被别人的评论所左右，怎么能取得举世瞩目的成绩？

人生的成功自然包含有功成名就的意思，但是，这并不意味着你只有做出了举世无双的事业，才算得上成功。世界上永远没有绝对的第一。看过马拉多纳踢球的人，还想一身臭汗地在足球队里混吗？听过帕瓦罗蒂歌声的人，还想练习美声唱法吗？——其实，如果总是担心自己比不上别人，那么世界上也就没有帕瓦罗蒂、马拉多纳这类人了。

俄国作家契诃夫说得好：“有大狗，也有小狗。小狗不该因为大狗的存在而心慌意乱。所有的狗都应当叫，就让它们各自用自己的声音叫好了。”小狗也要大声叫，不必在意别人说什么。

◇ 走自己的路，让别人说去吧 ◇

坚持
自己的梦想

在一个偏僻遥远的山谷里，有一个高达数千尺的崖。不知道什么时候，断崖边上长出了一株小小的百合。

百合刚刚诞生的时候，长得和杂草一模一样。但是，它心里知道自己并不是一株野草。它内心深处，有一个坚定的念头：我是一株百合，不是一株野草。唯一能证明我是百合的方法，就是绽放出美丽的花朵。有了这个念头，百合努力地吸收水分和阳光，深深地扎根，直直地挺着胸膛。终于在一个春天的清晨，百合的顶部结出了第一个花苞。

百合的心里很高兴，附近的杂草却很不屑，它们在私底下嘲笑着百合："这家伙明明是一株草，偏说自己是一株花，看来它顶上结的不是花苞，而是头上长瘤了。"公开场合，它们则讥讽百合："你不要做梦了，即使你真的会开花，在这荒郊野外，你的价值还不是跟我们一样。"

偶尔也有飞过的蜂蝶鸟雀，它们也会劝百合不用那么努力开花：“在这断崖边上，纵然开出世界上最美的花，也不会有人来欣赏呀!”

百合却说：“我要开花，是因为我知道自己有美丽的花；我要开花，是为了完成作为一株花的庄严使命；我要开花，是由于自己喜欢以花来证明自己的存在。不管有没有人欣赏，不管你们怎么看我，我都要开花!”

在野草和蜂蝶的鄙夷下，百合努力地释放内心的能量。有一天，它终于开花了，它那灵性的白和秀挺的风姿，成为断崖上最美丽的风景。这时候，野草与蜂蝶再也不敢嘲笑它了。

百合花一朵一朵地盛开着，花朵上每天都有晶莹的水珠，野草们以为那是昨夜的露水，只有百合自己知道，那是因为深深的喜悦凝成的泪滴。

年年春天，百合努力地开花、结籽。它的种子随着风，落在山谷、草原和悬崖边，终于，整个山谷都开满了洁白的百合。

几十年后，人们千里迢迢来到这个山谷，欣赏百合开花。后来，那里被人称为“百合谷地”。

百合花正是凭借着这样一种坚持，完成了自己作为一株花的使命，也证明了自己作为一株花的存在。它正是要告诉我们：哪怕前途布满荆棘，也要勇敢地追逐自己的梦想；哪怕前途一片渺茫，充满他人的嘲讽与不屑，也要坚定地迈向自己的目标。让我们的人生也像那满山的在微风中摇曳的百合，诉说着最美的传奇!

发现自己，你就是你

每个人的性格不同，能力不同，机遇不同，注定有人辉煌，有人平淡。不顾自身的具体情况，不切实际地强求达到别人的高度，这不但不能达到幻想中的目的，反而会增加自己的烦恼和痛苦。要知道，“名人”亦有“高处不胜寒”的孤独、寂寞和压力，而平凡者却拥有平淡中伸手可及的幸福，只是我们常常被虚幻的东西所诱惑，而忽视了真实的自我存在。

一位心理学家从一班大学生中挑出一个有些愚笨、又不大招人喜爱且自卑的姑娘，之后暗中要求她的同学们改变以往对她的看法。同学们按老师的要求，经常争先恐后地照顾这位姑娘，向她献殷勤，陪她回家，并假装打心里认定她是位漂亮聪慧的姑娘。结果呢？不到一年，这位姑娘简直变成了另一个人——在她的身上展现出每一个人都蕴藏的美。她自豪地说：“我获得了新生。”

显然，这种美只有在我们欣赏自己且周围的人也都欣赏我们的时候才会展现出来。

美国著名音乐家麦克约瑟说：“你自己与自己的心交流，要赞美它，让它感到你对它的赏识，那时候它才向你释放灵感。”是的，你只有欣赏自己，才能发挥自己。与其站在那里眺望别人的背景，不如坐下来静静地想一想自己走过的每一个坚实的脚印，只要努力寻找，你就会发现自己的生活中亦有许多闪光点。欣赏自己，不是鄙视别人的狂妄自大，是源于对自己生命的珍视和热爱；欣赏自己，不是让自己成为“井底之蛙”而不见更广阔的天空，是让自己抛弃浮躁后更成熟地走向远方。

一家报纸曾刊登了这样一个故事，说的是作者的父亲心情不好时，喜欢在阳台上摆弄他的几株花；作者的心情不好时，则喜欢到阳台上欣赏父亲的花。父亲说，浇花松土、除草是一种享受，作者却认为赏花才是最好的感觉。父亲的实验项目被人换了，他沮丧了好几天，闲时就到阳台上种花，作者心疼父亲的身体，到阳台看他。父亲凝视着花盆里的一株小草，一动不动。

“爸爸，为什么不把它拔了？”作者问。

父亲说：“它太嫩了，拔了可惜呀！”

作者觉得好笑，说：“一株草有什么可惜的！”

父亲却喃喃地说：“它不值得我欣赏吗？”

“爸爸，你欣赏这草？”作者惊诧。

父亲突然回过头来说：“不，我欣赏我自己。”

“啊！”作者不禁一愣，一向书生气十足的父亲，说这句话时竟有几分儒雅以外的严厉和坚定。

父亲忽然缓缓地说：“我欣赏我自己，因为我和这草一样坚忍不屈。你看，这花盆里净是些用来固定花苗的瓦砾，这草硬是从瓦砾间钻出来。我也是这样，我的实验项目被人换掉了，但我昨天又递交了参加实验的申请书，我要参加这次我并不拿手的实验，想看看自己的能力。仅这一点，就值得自我欣赏。”父亲顿了一下，爱怜地问作者，“孩子，你欣赏你自己吗?”

作者又愣住了，这是何等高深的话题呀！

父亲见他没回答，笑着对他说：“欣赏自己，就要发现自己的闪光点，要自信、要乐观。你是大人了，应该明白了。”父亲的话很深沉，但作者听得很入耳，他知道父亲正用深深的父爱，浇铸着他的品格、性格和人格。

学会欣赏自己的开朗自信，欣赏自己的聪慧大方，欣赏自己的高尚情操，这些都是父亲教给作者的，他终于明白了以前听过的那句话：“人活着，或许有不少人值得欣赏，但你最应该欣赏的是你自己。”

成为自己
最好的样子

漫画家蔡志忠15岁那年，就带着投漫画稿赚来的250元稿费，到台北画漫画、闯天涯。他很快就面临学历的问题，在他打算到以制作电视节目闻名的光启社求职时，看到求才广告上“大学相关科系毕业”一项条件，立刻就傻眼了！不过他仍旧相信自己的实力，没有理会这项学历限制而参加应征的行列。结果他击败了另外29名应征的大学毕业生，进入了光启社。

以后他在漫画界的表现如异军突起，尤其“庄子说”“老子说”系列更译成世界各国文字广为流传，他也一度是全台湾纳税额最高的一位作家。

而在连初中都没念完的情况下，是什么使他能有勇气踏入我们这个文凭至上的社会？他说：“做人最重要的就是要了解自己。有人适合做总统，有人适合扫地。如果适合扫地的人以做总统为人生目标，那只会一生痛苦不堪，受尽挫折。而我，就是适合做一个漫画家。”他从小就知道自己能画，所以才尽早地画，不停地画，终究画出自己的一片天空。

蔡志忠的说法也让人想到巴西的世界球王“黑珍珠”贝利，他曾经说：“我是天生踢球的，就像贝多芬是天生的音乐家一样。”

能够真切地认识自己，是件多么幸运的事！但别以为只有那些天才才知道自己的能力，我们周围有许许多多平凡的人物，他们做自己喜欢的事，活得自在，活得快乐，这不也是一种成功。

工作其实并没有好坏之分，而仅仅在于你适不适合。干自己适合干的工作，做自己喜欢做的事情，才能真正闯出自己的一片天地！

放飞心中的雄鹰，让他翱翔苍穹

有一则寓言说，一个喜欢冒险的男孩爬到父亲养鸡场附近的山上去，发现了一个鹰巢。他从巢里拿了一枚鹰蛋，带回养鸡场，把鹰蛋和鸡蛋混在一起，让一只母鸡来孵。孵出来的小鸡群里有了一只小鹰，小鹰和小鸡一起长大，一起在草丛里捉虫，一起在地上刨土，不会飞翔。小鹰过着和鸡一样的生活，它不知道自己除了是小鸡外还会是别的什么。

一只很有天分的鹰就这样被它周围的环境无情地同化了。 爱因斯坦曾经就是这样一只迷失方向的小鹰。

爱因斯坦小时候是个十分贪玩的孩子。他的母亲常常为此忧心忡忡，母亲的再三告诫对他来讲如同耳边风。直到 16 岁的那年秋天，一天上午，父亲将正要去河边钓鱼的爱因斯坦拦住，并给他讲了一个故事，正是这个故事改变了爱因斯坦的一生。故事是这样的：

“昨天，”爱因斯坦的父亲说，“我和咱们的邻居杰克大叔清扫南边工厂的一个大烟囱。那烟囱只有踩着里边的钢筋踏梯才能上去。你杰克大叔在前面，我在后面。我们抓着扶手，一阶一阶地终于爬上去了。下来时，你杰克大叔依旧走在前面，我还是跟在他的后面。后来，钻出烟囱，我发现一个奇怪的事情：你杰克大叔的后背、脸上全都被烟囱里的烟灰蹭黑了，而我身上竟连一点烟灰也没有。”

爱因斯坦的父亲继续微笑着说：“我看见你杰克大叔的模样，心想我肯定和他一样，脸脏得像个小丑，于是我就到附近的小河里去洗了又洗。而你杰克大叔呢？他看见我钻出烟囱时干干净净的，就以为他也和我一样干净呢，于是就只草草洗了洗手就大模大样上街了。结果，街上的人都笑痛了肚子，还以为你杰克大叔是个疯子呢。”

爱因斯坦听罢，忍不住和父亲一起大笑起来。父亲笑完了，郑重地对他说：“其实，别人谁也不能做你的镜子，只有自己才是自己的镜子。拿别人做镜子，白痴或许会把自己照成天才的。”

爱因斯坦听了，顿时满脸愧色，从此离开了那群顽皮的孩子们，他时时用自己做镜子来审视和映照自己，终于映照出他生命的熠熠光辉。

人有时需要通过别人来认识自己、了解自己，正如古人所说，“以人为鉴，可以知得失”。但别人这面镜子是需要选择的，如果它是平整的、明净的，则能发现自己的问题；如果是扭曲的、污浊的，那不仅看不出自己身上的不足，反而还会自我感觉良好。所以，重要的是拿自己做镜子，认真检查自己，对自己提出更高的要求。

父亲的故事唤醒了少年爱因斯坦心中的那只理想之鹰，让他得以摆脱周围环境对他潜移默化的禁锢和束缚。一个人一定要对自己有个清醒的认识，不要在环境中迷失。正如拿破仑所说：“不想当将军的士兵不是好士兵。”说白了，成功最早来自心中的那个“我要成功”的意念，以及对现实环境的某种突破和反抗。如果你是一只生于鸡群中不幸的鹰，千万不要放弃飞翔的特质，要早早在心中播下“搏击长空”的种子。

其实寓言中的那只鹰不仅仅指有天分的人，若把环境比作鸡群，理想便是鸡群中的那只鹰，是平凡人心中的那一种“志存高远”的境界，是为这种理想境界和目标而努力奋斗的意念。努力吧，放飞你心中的雄鹰，让他翱翔苍穹，成功对于你便不再是一种传说。